はじめに

本書は、一般社団法人金融財政事情研究会が実施する国家検定「ファイナンシャル・プランニング技能検定１級　実技試験（資産相談業務）」の試験を分析・解説した「厳選問題集」です。

本試験は口頭試問（面接試験）で行われるため、唯一の回答はありません。提示された設例から問題点を読み取り、それに対する適切な提案力を示せるか、また、面接試験特有のコミュニケーション力、FPとしてふさわしい誠意ある倫理性があるかが問われます。

本書では、過去に出題された設例のなかから、今後の出題の可能性が高いと思われる設例を精選し、それぞれについて「提案例」および「解説」をまとめています。あくまで、一つの提案例であり、それ以外の提案例が評価されることはあります。大切なことは、設例のポイントを明確にし、どのように筋道を立てて自分の答え（提案）を提示できるかということです。

本書を繰り返し読み込み、本番の面接をシミュレーションして声に出してみるなどの訓練をしてみましょう。

皆様が「ファイナンシャル・プランニング技能検定１級」を取得し、１級ファイナンシャル・プランニング技能士として活躍されることを祈念しています。

2024年９月　TAC出版

本書は、2024年4月1日現在の施行法令に基づき、法令等の改正事項を反映した内容となっております。したがって、その後の改正等により面接試験当日の質問やそれに対する回答すべき内容が異なる場合があります。

2024年度中における法改正等の変更・追加については、下記ホームページの法改正情報コーナーにてご確認ください。

TAC出版書籍販売サイト「Cyber Book Store」
https://bookstore.tac-school.co.jp/

よくわかるFPシリーズ '24-'25年版

合格テキスト FP技能士1級

金融財政事情研究会 実施分

実技対策 厳選問題集

TAC出版編集部 編

目次

企画・執筆協力者

石井　力（税理士）

税理士法人アイアセット　代表税理士

2008年税理士登録。税理士登録時より資産課税（譲渡所得、相続税）をメインとして活動し、不動産会社、ハウスメーカー、新聞社等のセミナー、社員研修を数多く行う。東京税理士会会員研修会講師、賃貸不動産経営管理士試験委員などを歴任。

久保　道晴（久保公認会計士事務所代表、公認会計士、税理士、中小企業診断士、１級ファイナンシャル・プランニング技能士）

2006年九州大学卒業。あずさ監査法人（現有限責任あずさ監査法人）勤務を経て、2012年久保公認会計士事務所開設。中小企業大学校などの講師としても活躍。主な著書「オーナー社長の後継者育成読本」「ソリューション営業のための　FP実践講座」（共著）「FP教本 事業承継・M＆A」（共著）「事業承継入門講座」（共著）など

吉野　荘平（不動産鑑定士、宅地建物取引士）

ハウスメーカー勤務を経て、1998年吉野不動産鑑定事務所入所。2017年株式会社ときそう設立。不動産鑑定士のほか、宅地建物取引士法定講習講師・業務研修会などの講師としても活躍。主な著書「不動産鑑定評価基本実例集」（共著）「特殊な不動産の鑑定評価実例集」（共著）など。

五十音順・敬称略。

所属は、執筆・企画協力当時のものであり、個別問合せはしないでください。

序　章

受検ガイダンス

試験概要

【受検資格】

次のいずれか１つに該当すればファイナンシャル・プランニング（以下、「FP」）技能検定１級実技試験（資産相談業務）を受検することができる。

１級学科試験の合格者(注1)
日本FP協会のCFP認定者
日本FP協会のCFP資格審査試験合格者(注1)
「FP養成コース(注2)」修了者(注1)でFP業務に関し１年以上の実務経験を有する者

(注1) 合格日・修了日が2022年度以降のものに限る。
(注2) FP養成コースとは、一般社団法人金融財政事情研究会が実施する「普通職業訓練短期課程金融実務科FP養成コース」を指す。

【受検地】

東京、名古屋、大阪、岡山、福岡
※試験日は会場ごとに異なる。

【受検料】

28,000円（非課税）

【受検問い合せ先】

〒160-8529
東京都新宿区荒木町２－３　一般社団法人金融財政事情研究会　検定センター
TEL　03-3358-0771

1級実技試験（資産相談業務）合格率

実施年月	受検申請者数	受検者数	合格者数	合格率
2021年 6月	1,146	1,066	909	85.27%
2021年10月	1,391	1,341	1,142	85.16%
2022年 2月	1,203	1,119	961	85.88%
2022年 6月	760	742	638	85.98%
2022年10月	499	474	401	84.59%
2023年 2月	771	754	649	86.07%
2023年 6月	761	737	625	84.80%
2023年 9月	213	196	157	80.10%
2024年 2月	732	698	614	87.96%
2024年 6月	573	554	458	82.67%

受検申込みから面接当日の流れ

【受検申込み】

一般社団法人金融財政事情研究会が実施するFP１級学科試験合格者には、１級実技試験（資産相談業務）の受検案内が送付される（金融財政事情研究会が実施するFP養成コース修了者、日本FP協会のCFP認定者、CFP資格審査試験合格者には受検案内は送られないので、各自で確認して申し込む）。

《面接当日》

【集合時間は遅刻厳禁】

１日２組（前半・後半）に分けて下記のとおり実施される。集合時間は受検票に記載される。自分自身で前半・後半を選ぶことはできない。また、**集合時間に遅れると受検できない**ので、会場には十分に余裕をもって到着しよう。

	集合時間	受検要領説明および実技試験
前半	10：10まで	10：10から
後半	13：45まで	13：45から

※このタイムスケジュールは標準的な会場のものであって、当日の時間は受検者の人数等によって異なる。

【控え室で設例を読む】

受付を終えると、控え室に案内される。口頭試問（面接試験）はPartⅠとPartⅡの２回行われるため、一通り試験の進め方に関して説明を受けた後、１人ずつPartⅠ、またはPartⅡの面接について呼び出しがある。PartⅠ、PartⅡのどちらが先かは受検番号によるので、必ずしもPartⅠから始まるわけではない（約半数がPartⅠから、残りの半数がPartⅡからのスタート）。

呼び出しがあるまでの待機時間は控え室で参考書や問題集を読むことができる。

呼び出しがあると、控え室の後方に移動し、その場で設例が渡される。この時点で参考書等は使用禁止である。設例を読む時間が約15分与えられ、その間に気がついたことや問題点をメモすることができる。設例はA3の大きい用紙なのでメモ欄は比較的余裕がある。また、設例には「設例に関し、詳細な計算を行う必要はない」と書かれている。電卓の持ち込み使用は認められているが、実際の面接の場で「相続税の納税額を算出しなさい」などのような厳密な計算を求められることはない。計算に関する知識は学科試験ですでに身についているものと判断しているため、実技試験で問われるのは、問題点（相談内容）を読み取る力やコミュニケーション力、高い倫理性などである。そのため、15分という貴重な時間は、設例から読み取れる問題点の発見や解決策などを考えることに注力しよう。

【いざ、面接！】

設例を15分読んだ後、面接室に移動するように指示がある。

面接室には、通常、面接官（審査委員）が２人いる。２人の面接官のうち、主に１人が質問をし、採点は両者で行っているものと思われる。PartⅠ、PartⅡそれぞれ100点ずつの200点満点で、合計120点以上が合格となる。面接の時間は約12分間ある。

面接では設例に基づいて、相談者の抱える問題点や、それに対する提案について質問される。12分間という限られた時間なので、簡潔に答えられるようにしよう。

面接試験は緊張する。それは面接官もわかっている。緊張したからと落とすことはしない。あまり余計な心配をせずに、普段どおりの力を発揮することを心掛けてほしい。

なお、採点基準は公表されていないが、実施要領からは以下の観点で行われると考えられる。

- 関連業法との関係および職業上の倫理を踏まえたファイナンシャル・プランニング
- 顧客ニーズおよび問題点の把握
- 問題解決策の検討・分析
- 顧客の立場に立った対応

【面接後から次の面接まで】

最初の面接が終わると、再び控え室に戻り、２回目の面接まで待機する。この間は参考書等を読むことが可能だ。そして、１回目と同様に再び後方に呼び出され、15分間で設例を読み、面接室に移動という流れとなる。

【２回目の面接が終了した時点で解散】

全員の２回目の面接が終了すると解散となる。試験問題の持ち帰りは禁止されている。

口頭試問形式であるため、模範解答は公表されない。試験結果まで不安な日々が続くだろうが、まずはゆっくり休もう。

《控え室》

《面接（審査）室》

審査委員

受検者

出入口

受検対策アドバイス

①１級学科の知識を復習しよう

１級実技試験までには、学科試験の受検から約半年間ある。

例）

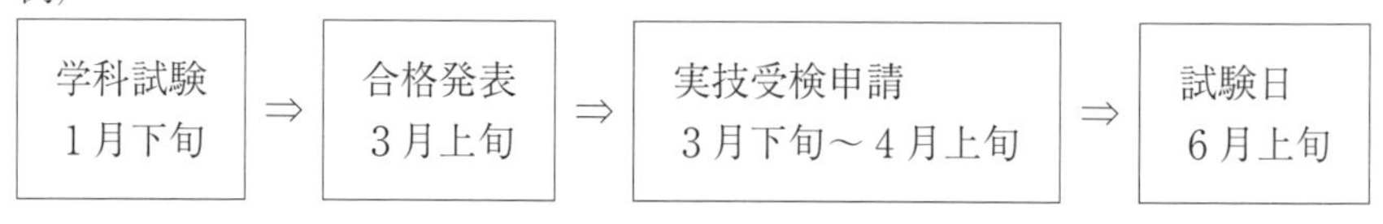

１月時点では１級学科を合格する実力があっても、半年近く復習しなければ知識は衰えてしまう。１級実技試験は80％を超える高い合格率だが、不合格となる受検生はこの１級学科の知識が衰えてしまっていることが多い。

②「不動産」「相続事業承継」以外の分野も復習しておく

FP１級実技試験は、PartⅠでは「相続事業承継」、PartⅡでは「不動産」が出題される。

では、不動産と相続事業承継以外の分野はまったく復習しなくてもよいのかといえば、そうではない。

たとえば、「相談者のＡさんは将来のために資産を増やしたいと考えているそうですが、NISAの最新の改正事項について説明してください」などと、金融資産の内容が問われることもある。

③最新の改正事項を把握しておく

FP１級実技における法令基準日は「**試験実施日現在施行の法令等に基づく**」となっている。そのため、最新の税制改正等を含めた情報には常に注意し、準備してほしい。

④合格率は高い

FP１級実技試験の問題は難易度が高いため、いざ面接試験となると、「自分にできるだろうか」と不安になるだろう。しかし、その思いは誰もが同じように抱えている。要するに、自分一人ではない。

しかし合格率は平均80％を超えている。ここから推察できるのは、「落とすための試験ではない」ということだ。学科で学んだ知識をしっかり復習し、本書を熟読していればきっと合格できるはずだ。

FP１級実技　Partごとの対策法

PartⅠでは「相続事業承継」、PartⅡでは「不動産」が問われる

PartⅠでは「相続事業承継」、PartⅡでは「不動産」が問われる。逆にいえば、年金社会保険や保険分野など、他の分野からの設例はほぼない。その意味では、「相続事業承継」と「不動産」を中心に学習することが最も重要だ。

PartⅠ「職業倫理」、PartⅡ「関連業法」は絶対マスター

PartⅠでは「職業倫理」、PartⅡでは「関連業法との関連を踏まえたファイナンシャルプランニング」が毎回問われている。決して回答も難しくない定番質問であるため、必ず答えられるようにしよう。

面接必須の重要キーワード

面接試験は緊張する。頭が真っ白になることもあるだろう。また、設例が難しく、何を答えたらよいかまったくわからないことも想定される。そのようなときは、下記のキーワードを意識して設例を読むように心がけてほしい。検討すべき問題点が明確になり、的確な回答（提案）ができるようになるはずだ。

PartⅠ　重要キーワード

- 遺産分割
- 遺言
- 遺留分（民法の特例を含む）
- 非上場株式の相続税・贈与税の納税猶予（特例）
- 相続時精算課税
- 直系尊属から贈与を受けた場合の贈与税の非課税（住宅取得、教育、結婚・子育て）
- 小規模宅地等の評価減
- 取引相場のない株式の評価（類似業種比準方式、純資産価額方式、配当還元方式）
- 金庫株の活用
- 生命保険への加入
- M＆A（特に株式譲渡）

PartⅡ　重要キーワード

- 契約不適合責任
- 建築基準法（建蔽率、容積率、接道義務など）
- 借地借家法（定期借地権、事業用定期借地権など）
- 譲渡所得の計算の特例（3,000万円特別控除、立体買換え特例、特定居住用財産の買換え特例、固定資産の交換特例など）
- 不動産の有効活用（事業受託方式、等価交換方式、事業用定期借地権方式など）
- 土地建物の相続税評価（路線価、借地権、貸家建付地など）
- 地積規模の大きな宅地

PartⅠ、PartⅡの出題傾向

PartⅠの出題傾向

PartⅠについては、「中小企業の社長の事業承継対策」が最も多い。たとえば、相続税の納税資金対策であれば「生命保険の活用」や「不動産譲渡の課税関係」「M＆A」「非上場株式の相続税・贈与税の納税猶予（特例）」などを想定するとよいだろう。

また、土地持ちの資産家や不動産賃貸業を営む者の相続対策が問われることもある。その場合は、遺産分割が適正に行われるかが重要になるため、「遺言」「遺留分」などで相続対策を提案しよう。

PartⅡの出題傾向

PartⅡでは、「不動産の有効活用」に関する相談が多い。各種有効活用の手法に関するメリットやデメリットを正確に理解しておく必要がある。また、それらの手法を活用した場合の税務関係や、土地建物の相続税評価についても確認しておきたい。

さらに、土地建物の売却や交換に関する相談事例も多い。譲渡所得の計算の特例のうち、設例で使えるものはないかを検討する必要がある。そのためには各種特例の要件を理解していなければならず、学科試験で学んだ知識をもう一度復習する必要がある。

第1章
要点ポイント

第１章では、FP１級実技試験で頻出の内容を要点ポイントとしてまとめました。第２章以降の設例の解説は、第１章の内容を理解していることを前提に行いますので、必ず押さえておきましょう。

Part I

遺産の分割

1 指定分割

被相続人が遺言によって指示した分割方法である。この方法が最優先されるが、遺言による分割方法に従わずに共同相続人全員で協議分割することも可能である。

2 協議分割

共同相続人は、被相続人が遺言で禁じた場合を除き、いつでも、その協議で、**遺産の全部または一部の分割**をすることができる。

ただし全員の参加と同意が必要である。

なお、分割協議においては、民法の基準に準拠しなければならないが、結果的に**どのような分割になっても意見の一致をみたものでさえあれば、協議は有効とされる**。

3 分割の方法

分割の方法	内　容
現物分割	遺産を現物のまま分割する方法で、分割の原則的方法
代償分割	共同相続人の1人または数人が相続により財産の現物を取得し、その現物を取得した者が他の共同相続人に対し債務を負担する分割方法（主に事業用不動産、同族会社株式などの相続財産に適用）
換価分割	共同相続人の1人または数人が相続により取得した財産の全部または一部を金銭に換価し、その換価代金を分割する方法（譲渡所得税などが課税される）

4 遺産分割協議書

遺産分割が終わり、各相続人が取得すべき財産が確定したら、後日の紛争予防のため、遺産分割協議書を作成し、証拠として残すべきである。また、これは財産の名義変更を行う際にも必要な書類である（書式は定まっていない）。

遺　言

1 普通方式の遺言の種類と特徴

種　類	公正証書遺言	自筆証書遺言	秘密証書遺言
作成方法	本人が公証人に遺言の趣旨を口授し、公証人がこれを筆記して遺言者および証人に読み聞かせる	本人が遺言の全文・日付（年月日）・氏名等を書き押印（認印可）する ※パソコン、動画など不可 ※添付する財産目録部分はパソコン等可（各頁に署名押印が必要）	• 本人が遺言書に署名押印の後、遺言書を封じ同じ印で封印する • 公証人の前で本人が住所氏名を記す • 公証人が日付などを書く ※パソコン、代筆可
場　所	公証役場（全国どこでも可）	自由	公証役場（全国どこでも可）
証　人	**証人2人以上**	不要	証人2人以上
署名押印	本人、公証人、証人	本人	本人、公証人、証人
家庭裁判所の検認	**不要**	必要	必要
長　所	• 公証人が作成するから安全確実 • **原本を公証役場で保管するから紛失や改ざんの心配がない** • 検認不要	• 作成が簡単 • 遺言した事実も内容も秘密にできる • 費用もかからない	• 遺言の存在は明確にして、内容は秘密にできる • 改ざんの心配なし
短　所	• **手続きが煩雑** • 遺言の存在と内容を秘密にできない • 作成時に**費用がかかる**（保管手数料は不要） • 証人必要	• 紛失や改ざんの心配がある • 方式が不備だったり、内容が不完全なことがある • 検認必要	• 手続きがやや面倒 • 内容が秘密なので紛争が起きることがある • 証人および検認必要

【自筆証書遺言書保管制度の特徴】

	自筆証書遺言（遺言書保管制度）	自筆証書遺言
作成方法	• 本文…遺言者の自筆 • 財産目録…パソコン等による作成、預金通帳のコピー等も可（各頁に署名、押印が必要）	• 本文…遺言者の自筆 • 財産目録…パソコン等による作成、預金通帳のコピー等も可（各頁に署名、押印が必要）
方式の審査	日付、遺言者の氏名の記載など、外形的な確認	なし
証　人	不要	不要
保管場所	**遺言書保管所（法務局）**	制限なし

遺言書の検索	可能	なし
家庭裁判所の検認	不要	必要
紛失・改ざん等の危険の有無	遺言書の紛失等の危険なし	遺言書の紛失等の危険あり

遺留分

1 遺留分権利者

兄弟姉妹（その代襲者を含む）以外の相続人（配偶者、被相続人の子およびその代襲相続人ならびに直系尊属）

2 遺留分の割合

(1) 総体的遺留分

① 直系尊属のみが相続人である場合……３分の１

② ①以外の場合……………………………**２分の１**

- 相続人が配偶者のみである場合
- 相続人が配偶者と被相続人の子およびその代襲相続人である場合
- 相続人が被相続人の子およびその代襲相続人である場合
- 相続人が配偶者および直系尊属である場合
- 相続人が配偶者と兄弟姉妹である場合の配偶者

3 遺留分侵害額の請求権

被相続人が遺留分を侵害する贈与や遺贈をしても、それが当然に無効になるわけではない。そこで、遺留分権利者およびその承継人（相続人、包括受遺者、相続分譲受人など）は、受遺者（所定の要件を満たす相続人を含む）または受贈者に対し、遺留分侵害額に相当する金銭の支払を請求することができる権利（**遺留分侵害額の請求権**）を有している。

なお、遺留分侵害額の請求に基づき、金銭に代えて土地等を分与した場合には、土地等を譲渡したことになり、譲渡所得として所得税が課税される。

4 遺留分侵害額の請求権の消滅

遺留分権利者が、相続の開始および遺留分を侵害する贈与または遺贈のあったことを知った時から**１年間**、相続開始の時から**10年間**に限り認められ、それを経過すると時効により消滅する。

5 遺留分の放棄

遺留分の放棄は、**相続開始前においても家庭裁判所に申し立てて許可を受ければ可能である。相続開始後の遺留分の放棄は、家庭裁判所の許可は必要ない。**

生前の遺留分放棄者は、相続に関する権利のうち、遺留分に関する権利を放棄するだけであってその他の権利は喪失しない。したがって、遺留分を放棄した遺留分権利者にいっさいの財産を渡さないようにするためには、被相続人は、その遺留分権利者の持分をゼロにする旨の遺言を作成する必要がある。

贈与税の配偶者控除

1 適用対象者の要件

① 贈与配偶者との婚姻期間が、贈与時に、**正味で20年以上**であること
② その配偶者からの贈与について、**前年以前のいずれかの年においてこの規定の適用を受けていないこと**

2 受贈財産およびその使途

受贈財産	使　　途
居住用不動産	① その取得の日の属する年の**翌年3月15日まで**にその居住用不動産をその者の居住の用に供すること ② その後、引続き居住の用に供する見込みであること
金　　銭	① その取得の日の属する年の**翌年3月15日まで**にその金銭をもって居住用不動産を取得すること ② ①をその者の居住の用に供すること ③ その後、引続き居住の用に供する見込みであること

※ **居住用不動産は、居住用の土地のみでも、居住用の家屋だけでもよく、居住用の土地および家屋またはこれらの持分でもよい。**また、居住用家屋の増築も対象となる。

3 控除額

① 2,000万円
② 贈与により取得した居住用不動産の価額 ＋ 贈与により取得した金銭のうち居住用不動産の取得に充てられた部分の金額
③ ①②のいずれか少ないほうの金額

直系尊属から住宅取得等資金の贈与を受けた場合の非課税制度

1 内　容

その年１月１日において**18歳以上**である者（制限納税義務者を除く）が、自己の居住の用に供する一定の家屋の新築もしくは取得または自己の居住の用に供する家屋の一定の増改築（これらとともにするこれらの家屋の敷地の用に供されている土地または土地の上に存する権利の取得を含む）のための資金をその**直系尊属からの贈与**により取得した場合には、当該期間を通じて非課税限度額まで贈与税を非課税とする制度である。

なお、この制度の適用は、贈与を受けた年の**合計所得金額が2,000万円**（住宅取得等資金を充てて新築等をした住宅用の家屋の床面積が40㎡以上50㎡未満である場合には、**1,000万円**）**以下**の者に限定される。

※　**直系尊属の意義**　（受贈者の父母、祖父母、曾祖父母）
　受贈者の配偶者の父母や祖父母からの贈与は直系尊属に当たらないので対象にならない。

※　住宅取得等資金をもって、取得する居住用家屋や増築する居住用家屋の要件は、住宅用家屋の床面積について240㎡以下であること以外は、相続時精算課税の住宅取得等資金の特例に規定されているものと同様である。
　なお、贈与を受けた年の翌年３月15日までの取得等（住宅取得等資金の全額を充てる必要がある）および居住要件もある。

※　適用対象となる住宅取得等資金の範囲には、住宅の新築等（住宅取得等資金の贈与を受けた翌年３月15日までに行われるものに限る）に先行してその敷地の用に供される土地等を取得するための資金も含まれる。

2 非課税限度額

住宅用家屋の取得等に係る契約が2026年12月31日までの場合、非課税限度額は次のとおりである。

省エネ等良質な住宅用家屋	左記以外の住宅用家屋
1,000万円	500万円

非課税限度額は、受贈者ごとの限度額とされ、非課税の適用を誰の贈与からいくら受けるかは、受贈者の選択による。

相続時精算課税制度

1 適用対象者

本制度の適用対象となる贈与者は、贈与をした年の１月１日において**60歳以上の直系尊属者**、受贈者は贈与をした年の１月１日において**18歳以上の子である推定相続人**（代襲相続人を含む）および孫である。

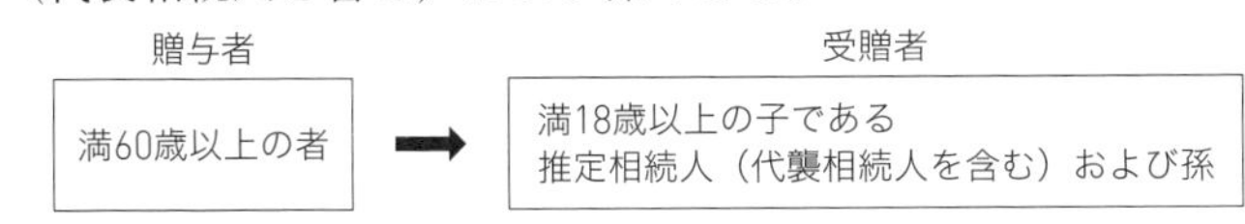

※　この選択は、受贈者が、贈与者である父（祖父）、母（祖母）ごとに選択できる。

※　受贈者の「子」には養子も含まれる。

2 適用手続

本制度の選択を行おうとする受贈者は、その選択に係る**最初の贈与を受けた年の翌年２月１日から３月15日までの間**に所轄税務署長に対してその旨の届出を贈与税の申告書に添付することにより行うものとする。

3 相続税額の計算

	相続時精算課税制度	通常の贈与
贈与税額の計算	• 年110万円までの基礎控除および**2,500万円**まで特別控除 • 上記金額を超える部分は**20%**課税 ※特別控除枠は複数年にわたり利用できる	• 暦年で**110万円**の基礎控除 • 基礎控除を超える部分は通常の累進税率
相続開始時の相続税の計算	この制度を選択した後の受贈財産をすべて加算（注1）	相続開始前7年内の贈与財産を加算（注2）
	加算される贈与財産の評価は**贈与時**の価額	
	既に支払った贈与税があれば差し引く（相続時精算課税制度については控除不足額の還付あり）	

（注1）相続等による財産の取得がない場合でも適用される。
（注2）相続等による財産の取得が要件とされる。2024年1月1日以後に贈与により取得する財産について、相続財産への加算期間は7年に延長された。ただし、延長された4年間の贈与のうち総額100万円までは相続財産に加算しない。

直系尊属からの贈与に関する諸制度のまとめ

【直系尊属からの贈与に関する諸制度】

	住宅取得等資金の贈与の非課税	教育資金の一括贈与の非課税	結婚・子育て資金の一括贈与の非課税	相続時精算課税	住宅取得等資金に係る相続時精算課税
贈与者	直系尊属	直系尊属	直系尊属	贈与をした年の1月1日において60歳以上の父母または祖父母	父母または祖父母（年齢要件はない）
受贈者	贈与をした年の1月1日において**18歳以上**である者で贈与を受けた年の合計所得金額が2,000万円（住宅の床面積によっては1,000万円）以下のもの	契約を締結する日において**30歳未満**の者で贈与を受けた前年の合計所得金額が1,000万円以下のもの	契約を締結する日において**18歳以上50歳未満**の者で贈与を受けた前年の合計所得金額が1,000万円以下のもの	贈与をした年の1月1日において**18歳以上**の子である推定相続人（代襲相続人を含む）および孫	贈与をした年の1月1日において**18歳以上**の子である推定相続人（代襲相続人を含む）および孫
贈与資産	住宅取得等資金	**教育資金管理契約**に基づく信託受益権、金銭または金銭等	**結婚・子育て資金管理契約**に基づく信託受益権、金銭または金銭等	資産の種類は問わない	住宅取得等資金
非課税限度額	省エネ等住宅の場合1,000万円 それ以外の住宅の場合500万円 ※受贈者ごと	**1,500万円**（学校等以外の者に支払われるものについては、500万円） ※受贈者ごと	**1,000万円**（結婚資金については、300万円） ※受贈者ごと	基礎控除 110万円／年 **＋2,500万円** ※特定贈与者ごと	基礎控除 110万円／年 **＋2,500万円** ※特定贈与者ごと
贈与者が死亡した場合	—	非課税拠出金の残額部分はみなし取得財産として相続税課税（2割加算の適用あり）	非課税拠出金の残額部分はみなし取得財産として相続税課税（2割加算の適用あり）	贈与財産は、贈与時の価額で相続時精算課税適用財産として相続税課税	贈与財産は、贈与時の価額で相続時精算課税適用財産として相続税課税

贈与税の非課税の適用部分については、生前贈与財産についての加算（相続時精算課税を含む）の適用がない。

※　上記表の規定の他に、贈与をした年の１月１日において**18歳以上**の者が直系尊属から贈与により取得した財産については、暦年課税の計算上、特例贈与財

産として、特例税率の適用がある。

配偶者に対する相続税額の軽減

1 適用対象者

被相続人と正式な婚姻関係にある者（**放棄していても適用**）

2 軽減額

①　課税価格の合計額×配偶者の法定相続分（1億6,000万円に満たないときは**1億6,000万円**）

②　配偶者の課税価格相当額（千円未満切捨て）

③　①②のいずれか**少ない**金額

④　配偶者に対する相続税額の軽減＝相続税の総額×$\frac{③の金額}{課税価格の合計額}$

配偶者居住権

1 配偶者居住権および配偶者短期居住権

(1) 配偶者居住権

配偶者居住権とは、夫婦の一方が亡くなった場合に、残された配偶者が、亡くなった者が所有していた建物に、亡くなるまでまたは一定の期間、**無償**で居住することができる権利である。

建物の価値を「所有権」と「居住権」に分けて考え、残された配偶者は建物の所有権を持っていなくても、以下の要件をすべて満たして、居住権を取得することで、亡くなった者が所有していた建物に引き続き住み続けられるようにするものである。

①残された配偶者が、亡くなった者の法律上の配偶者であること

②配偶者が、亡くなった者が所有していた建物に、亡くなったときに居住していたこと

③遺産分割、遺贈、死因贈与、家庭裁判所の審判のいずれかにより配偶者居住権を取得したこと

配偶者居住権を第三者に対抗するためには登記が必要であり、居住建物の所有者は配偶者に対して配偶者居住権の登記を備えさせる義務を負う。

※　配偶者が死亡した場合には、配偶者居住権は消滅する。

※　配偶者居住権は、**譲渡することはできない**。

⑵ 配偶者短期居住権

配偶者短期居住権とは、残された配偶者が、亡くなった人の所有する建物に居住していた場合、遺産分割協議がまとまるまでか、協議が早くまとまった場合でも被相続人が亡くなってから**6か月間**は無償で建物に住み続けることができる権利のことである。

遺言などで配偶者以外の第三者が建物の所有権を相続した場合、第三者はいつでも配偶者短期居住権を消滅させるよう申し入れすることができるが、その場合であっても、残された配偶者は申し入れを受けた日から6か月間は無償で建物に住み続けることができる。

配偶者短期居住権は、登記することはできない。

宅地および宅地の上に存する権利

1 路線価方式

①　一方のみが路線に接する宅地

路線価×奥行価格補正率×地積

②　正面と側方に路線がある宅地

イ　正面路線価×奥行価格補正率
ロ　側方路線価×奥行価格補正率×側方路線影響加算率
ハ　（イ＋ロ）×地積

※　正面路線の判定

（路線価×奥行価格補正率）の金額の最も**高いもの**を正面路線とする。

なお、その金額が同じときは、路線に接する距離の長いほうの路線を正面路線とする。

③　正面と裏面に路線がある宅地

イ　正面路線価×奥行価格補正率
ロ　裏面路線価×奥行価格補正率×二方路線影響加算率
ハ　（イ＋ロ）×地積

2 宅地の上に存する権利

(1) 自己所有の宅地を他に賃貸した場合

① 財産の名称

借　主……**借地権**

貸　主……**貸宅地**

② 財産の評価

借地権

自用地としての価額×借地権割合

貸宅地

自用地としての価額×（1－借地権割合）

(2) 自己所有の宅地の上に家屋を建ててその家屋を他に賃貸した場合

① 財産の名称

借　主……借家人の有する宅地等に対する権利

貸　主……**貸家建付地**

② 財産の評価

借家人の有する宅地等に対する権利

自用地としての価額×借地権割合×借家権割合×賃借割合

貸家建付地

自用地としての価額×（1－借地権割合×借家権割合×賃貸割合）

小規模宅地等の特例

1 減額割合

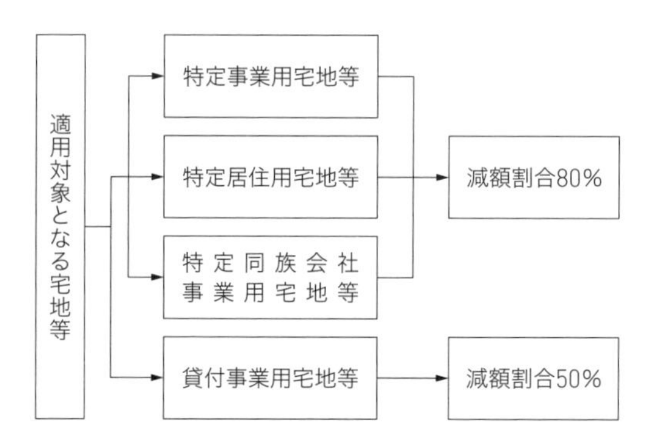

※「特定事業用宅地等」および「特定同族会社事業用宅地等」の「事業」には、不動産貸付業、駐車場業は含まれない。

2 特例適用対象面積

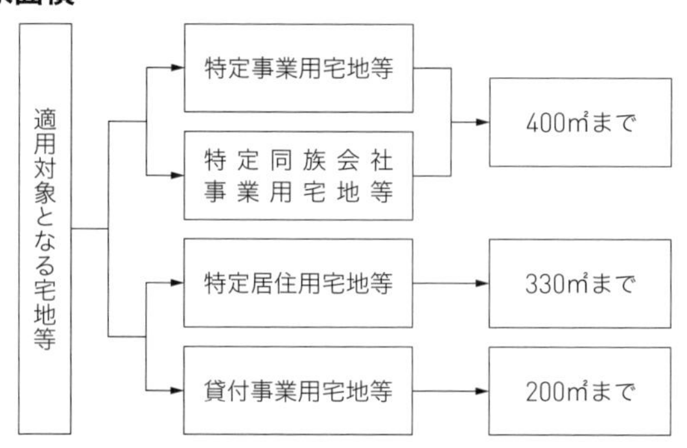

3 課税価格に算入すべき価額

【減額割合および限度面積】

<table>
<tr><td rowspan="4">適用対象となる宅地等</td><td rowspan="3">事業用宅地等</td><td>特定事業用宅地等</td><td rowspan="2">減額割合
80%</td><td rowspan="2">限度面積
400㎡</td></tr>
<tr><td>特定同族会社事業用宅地等</td></tr>
<tr><td>貸付事業用宅地等</td><td>減額割合
50%</td><td>限度面積
200㎡</td></tr>
<tr><td>居住用宅地等</td><td>特定居住用宅地等</td><td>減額割合
80%</td><td>限度面積
330㎡</td></tr>
</table>

※ 特定事業用宅地等と貸付事業用宅地等については、一定の場合に該当しない限り、相続開始前3年以内に新たに（貸付）事業の用に供された宅地等を除く。

4 特定事業用宅地等である小規模宅地等

相続開始直前の利用状況の区分	取得者	継続要件（申告期限）		備考
		事業	所有	
被相続人の事業用宅地等	事業を承継した親族	○	○	
同一生計親族の事業用宅地等	同一生計親族	○	○	(注)

(注) 事業を営んでいる本人（同一生計親族）が取得した場合に限り80%減額の対象となる。

相続開始の直前において被相続人等の事業（貸付事業を除く。以下同じ）の用に供されていた宅地等（相続開始前3年以内に新たに事業の用に供された宅地等は除くものの、一定規模以上の宅地等は特定事業用宅地等に該当する）で、上記表の区分に応じ、それぞれに掲げる要件のすべてに該当する被相続人の親族が相続または遺贈により取得したものをいう。

5 特定居住用宅地等である小規模宅地等

相続開始直前の利用状況の区分	取得者	継続要件（申告期限）		備考
		居住	所有	
被相続人の居住用宅地等	(1) 配偶者	×	×	(注1)
	(2) 同居親族	○	○	
	(3) 非同居親族	×	○	(注2)
同一生計親族の居住用宅地等	(1) 配偶者	×	×	(注1)
	(2) 同一生計親族	○	○	(注3)

(注1) 常に80%減額の対象となる（要件なし）。
(注2) 非同居親族が取得した場合は、次の要件も必要となる。
(1) 被相続人に配偶者および同居する法定相続人がいない。
(2) 相続開始前3年以内に法施行地にあるその取得者、その者の配偶者、その者の3親等内の親族またはその親族と特別の関係がある法人が所有する家屋（被相続人の居住用を除く）に居住したことがない。
(3) 相続開始時にその親族が居住している家屋をその親族が所有していたことがない。
(4) 取得者が居住制限納税義務者または非居住制限納税義務者で日本国籍を有しない者以外のものであること。
(注3) 居住の用に供していた本人（同一生計親族）が取得した場合に限り80%減額の対象となる。
なお、被相続人からの同一生計親族に対する宅地等の貸付けが使用貸借契約でなければ、特定居住用宅地等に該当しない。

6 特定同族会社事業用宅地等である小規模宅地等

取得者	継続要件（申告期限）	
	事業	所有
	法人	親族
申告期限において役員である親族	○	○

《注意点》

① その法人が特定同族会社に該当するか否かの判定

判定の時期	判　定
相続開始直前	被相続人とその同一生計親族の持株割合の合計が50%超

② その法人が営む事業からは、不動産貸付業等を除く。

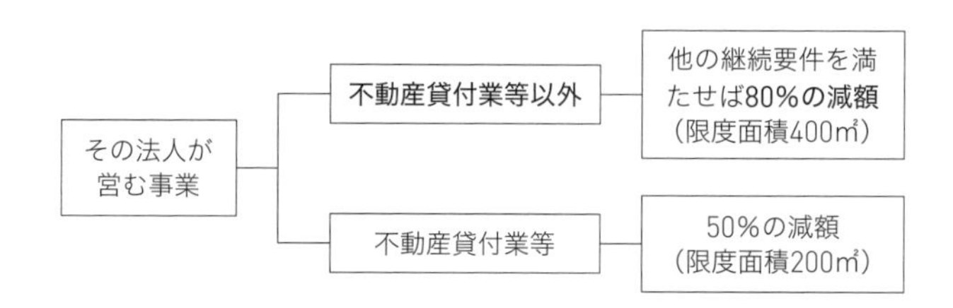

③ 被相続人または同一生計親族からの法人に対する貸付けは、**賃貸借に限る**。

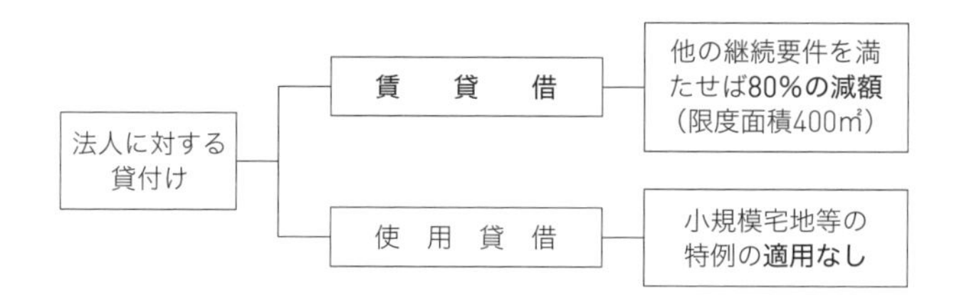

7 貸付事業用宅地等である小規模宅地等

被相続人の**貸付事業**（不動産貸付業その他所定のものに限る。以下同じ）の用に供されていた宅地等で、以下の要件のいずれかを満たすその被相続人の親族が相続または遺贈により取得したもの（特定同族会社事業用宅地等および**相続開始前3年以内に新たに貸付事業の用に供された宅地等**《相続開始の日まで3年を超えて引き続き貸付事業を行っていた被相続人等のその貸付事業の用に供されたものを除く》**を除く**）。

(1) その親族が、相続開始時から申告期限までの間にその宅地等に係る被相続人の貸付事業を引き継ぎ、申告期限まで引き続きその宅地等を有し、かつ、その貸付事業の用に供していること。

(2) その被相続人のその被相続人と生計を一つにしていた親族が、相続開始時から申告期限まで引き続きその宅地等を有し、かつ、相続開始前から申告期限まで引き続きその宅地等を自己の貸付事業の用に供していること。

取引相場のない株式（自社株）の評価

1 評価方式の判定

株式の取得者については、取得後の議決権割合によって判定する。

【株式取得者の態様による評価方式の区分】

<table>
<tr><th colspan="5">株式取得者の態様</th><th>評価方式</th></tr>
<tr><td rowspan="6">同族株主のいる会社</td><td rowspan="5">同族株主</td><td colspan="3">取得後の議決権割合5％以上</td><td rowspan="4">原則的評価方式</td></tr>
<tr><td rowspan="4">取得後の議決権割合5％未満</td><td colspan="2">中心的な同族株主がいない場合</td></tr>
<tr><td rowspan="3">中心的な同族株主がいる場合</td><td>中心的な同族株主</td></tr>
<tr><td>役員</td></tr>
<tr><td>その他</td><td rowspan="2">特例的評価方式</td></tr>
<tr><td colspan="4">同族株主以外の株主</td></tr>
<tr><td rowspan="5">同族株主のいない会社</td><td rowspan="4">議決権割合の合計が15％以上のグループに属する株主</td><td colspan="3">取得後の議決権割合5％以上</td><td rowspan="3">原則的評価方式</td></tr>
<tr><td rowspan="3">取得後の議決権割合5％未満</td><td colspan="2">中心的な株主がいない場合</td></tr>
<tr><td rowspan="2">中心的な株主がいる場合</td><td>役員</td></tr>
<tr><td>その他</td><td rowspan="2">特例的評価方式</td></tr>
<tr><td colspan="4">議決権割合の合計が15％未満のグループに属する株主</td></tr>
</table>

2 原則的評価方式

【株式の発行会社の規模に応ずる評価方式の区分】

評価方式／発行会社の規模	原則的評価方式	
	通常の評価方式	選択できる評価方式
大会社	**類似業種比準方式**	純資産価額方式
中会社	**類似業種比準方式と純資産価額方式との併用方式** （Lの割合0.90、0.75、0.60）	左の類似業種比準方式につき純資産価額方式をとる方法
小会社	**純資産価額方式**	類似業種比準方式と純資産価額方式との併用方式 （Lの割合0.50）

※　発行会社の規模の判定

① 従業員数が**70人以上**の会社は、常に**大会社**とする。

② 従業員数が70人未満の会社は、発行会社の総資産価額（帳簿価額によって計算した金額）および従業員数と直前期末以前1年間における取引金額により大会社、中会社および小会社に分類される。

3 1株当たりの類似業種比準価額

【類似業種比準方式の評価の図式】

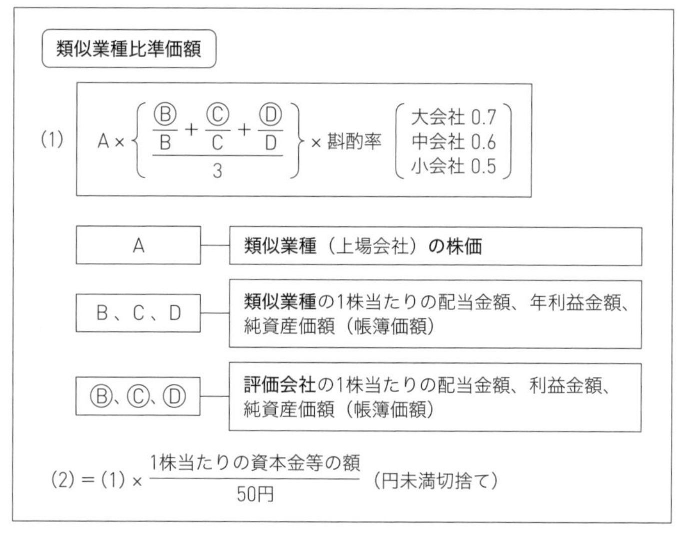

A＝**類似業種の株価**

次に掲げる金額のうち最も**低い**金額

① 課税時期の属する月の類似業種の株価

② 課税時期の属する月の前月の類似業種の株価

③ 課税時期の属する月の前々月の類似業種の株価

④ 類似業種の前年平均株価

⑤ 類似業種の課税時期の属する月以前２年間の平均株価

B＝課税時期の属する年の**類似業種**１株当たりの**配当金額**

C＝課税時期の属する年の**類似業種**１株当たりの**年利益金額**

D＝課税時期の属する年の**類似業種**１株当たりの**純資産価額**

（帳簿価額によって計算した金額）

Ⓑ＝直前期末における**評価会社**の１株（50円）当たりの**配当金額**

$$\frac{\text{直前期末以前２年間の配当金額（無配は０円とし、特別配当等で臨時のものを除く）} \times \frac{1}{2}}{\text{直前期末における発行済株式数（１株当たりの資本金等の額を50円とした場合）}}$$

Ⓒ＝直前期末以前１年間における**評価会社**の１株（50円）当たりの**利益金額**

直前期末以前１年間の利益金額 直前期末以前２年間の利益金額の合計額÷２ } いずれか低い金額
直前期末における発行済株式数 （１株当たりの資本金等の額を50円とした場合）

※ 「利益金額」には、固定資産売却益等の非経常的なものを除く。

Ⓓ＝直前期末における**評価会社**の１株（50円）当たりの**純資産価額**（帳簿価額によって評価した金額）

直前期末における資本金額、資本積立金額、 利益積立金額の合計額
直前期末における発行済株式数 （１株当たりの資本金等の額を50円とした場合）

4 １株当たりの純資産価額（相続税評価額）

$$\frac{A-(A-B)\times 37\%}{\text{課税時期における実際の発行済株式数}}$$

※ Ａ＝課税時期における**相続税評価額**による純資産価額

相続税評価額による総資産価額 － 相続税評価額による負債の金額の合計額 （各種引当金等を除く）

Ｂ＝課税時期における**帳簿価額**による純資産価額

帳簿価額による総資産価額 － 帳簿価額による負債の金額の合計額 （各種引当金等を除く）

5 １株当たりの配当還元価額

$$\frac{\text{その株式に係る年配当金額}^{※1}}{10\%}\times\frac{\text{１株当たりの資本金等の額}}{50\text{円}}$$

※１　その株式に係る年配当金額（類似業種比準価格の計算に用いるⒷの金額）

$$\frac{\text{直前期末以前２年間の配当金額（無配は０円とし、特別配当等で臨時のものを除く）} \times \frac{1}{2}}{\text{直前期末における発行済株式数（１株当たりの資本金等の額を50円とした場合）}}$$

※２　年配当金額の特例

　上記※１により計算した金額が２円50銭未満となる場合または無配の場合には、２円50銭とする。

事業承継対策の概要

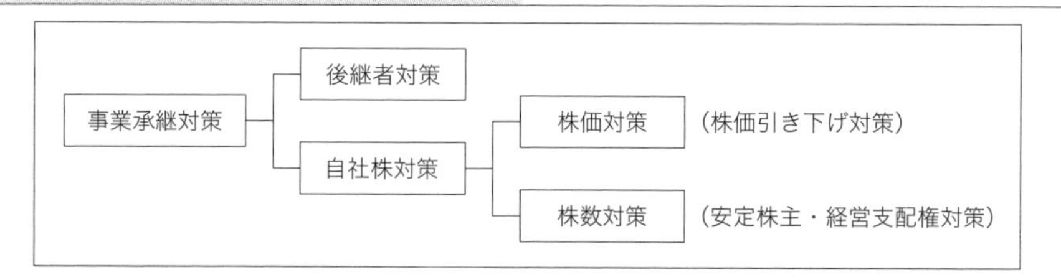

　中小法人においては所有と経営が分離していない場合も多く、事業承継にあたって所有と経営を別々の者に承継させると会社経営上不都合なこともあり、オーナーも所有権と経営権を一緒に後継者に渡したいと考えるのが通常である。

　そこで、必要となってくるのが自社株の所有権を円滑に承継するための対策である。

「自社株対策」では、概ね次の３点が対策の柱となる。

①　**自社株の評価額を下げる**（経営の健全性に対するリスクを含んでいる）。

②　**所有株数を減らし株式を分散する**（経営権の不安定というリスクを含んでいる）。

③　**納税資金を確保する**（保険等の利用）。

　その狙いは、相続財産全体の評価の引き下げ、生前贈与や譲渡の低コストでの実施、相続税の負担の減少、経営権の確保のための資金調達、運営資金確保などである。

　以上のような対策をいろいろな方法で行っていくが、適切な後継者が存在しない場合はＭ＆Ａ（会社の譲渡）等も考慮しなくてはならない。

相続評価の低減対策

1 低く評価される財産（不動産等）に資産をシフトする方法

相続税は時価でなく相続税評価額によって評価される。そのため、時価よりも相続税評価額の低い財産への乗り換え、しかも将来の値上がりを予想して対応する。

時価よりも低い財産は、不動産（時価の80%程度）やゴルフ会員権（時価の70%程度）などがあげられるが、「時価」自体が変動するため注意が必要である。同じ財産でも土地や建物などは、その用途により評価が異なる場合もある。

時価と相続税評価額のギャップに着目

基本的な手法は、通常の時価と相続税評価額との差額（ギャップ）を活用して行う。この差額部分が対策効果の余地である。

> 時価－相続税評価額＝ギャップ

【時価額と相続税評価額のギャップ】

<table>
<tr><th colspan="3">財産の種類</th><th>時　価</th><th>相続税評価額</th></tr>
<tr><td rowspan="11">プラス</td><td rowspan="4">土地</td><td>自用地</td><td rowspan="6">時価
（取引価格）</td><td>時価の80%程度</td></tr>
<tr><td>貸家建付地</td><td>自用地評価額（相続税評価額）×80%程度</td></tr>
<tr><td>貸地</td><td>自用地評価額（相続税評価額）×40%程度</td></tr>
<tr><td>借地権</td><td>自用地評価額（相続税評価額）×60%程度</td></tr>
<tr><td rowspan="2">建物</td><td>自宅</td><td>固定資産税評価額（未償却残高の60%程度）</td></tr>
<tr><td>貸家</td><td>固定資産税評価額×70%程度</td></tr>
<tr><td colspan="2">生命保険金</td><td>保険金額</td><td rowspan="2">▲500万円×法定相続人の数</td></tr>
<tr><td colspan="2">死亡退職金</td><td>退職金支給額</td></tr>
<tr><td colspan="2">ゴルフ会員権</td><td>相場</td><td>相場×70%程度</td></tr>
<tr><td colspan="2">預貯金</td><td colspan="2">残高</td></tr>
<tr><td colspan="2">上場株式</td><td colspan="2">取引相場</td></tr>
<tr><td>マイナス</td><td colspan="2">借入金</td><td colspan="2">残高</td></tr>
</table>

※ 「時価」自体が変動するため、そのリスクヘッジも必要である。

2 土地の有効活用（賃貸物件を建築した場合）

(1) 特　徴

① 建物の敷地が「貸家建付地」の評価減を受けられる。
（評価額×借地権割合×借家権割合×賃貸割合）の分だけ評価減となる。

② 建物も評価減がある。

建物は相続税評価額（＝固定資産税評価額、通常、取得費の50～60％程度）で評価される。賃貸用であれば、借家権割合×賃貸割合相当額の評価減となる。

③　小規模宅地の特例の適用により、評価減を増やす。

④　借入金残高は債務控除の対象となる。

⑤　賃貸収入などから発生した収益を納税資金に充てられる。

⑵ 問題点

①　賃料収入などから発生した収益は納税資金となる一方、相続財産を増やし、税額が膨らむ可能性がある。

②　相続発生までの期間が長ければ、対策の効果が薄れてくる。

③　アパート経営（マンション経営）自体が事業として採算に合うかどうかという点に注意しなければならない。

⑶ 定期借地権

定期借地権等においては、法定更新の制度等に関する規定の適用がなく、契約期間の到来により確定的に権利関係が終了する。

3 生命保険等の非課税枠を利用する方法

生命保険金および死亡退職金には、一定の非課税枠がある。これらを利用すれば、相続税の課税価格を低く抑えることが可能である。

4 相続人の基礎控除を拡大する方法

相続人の基礎控除を拡大する方法として、養子縁組制度の活用がある。養子縁組を行い、法定相続人数を増やすことで１人につき基礎控除額600万円が加算適用され、適用される相続税率を抑えることが可能となる。ただし、法定相続人に含める養子の数には制限がある（法定相続人の数に含まれる養子は、実子がある場合には１人、ない場合には２人までしか認められない）。

生命保険の活用

1 経営者保険

⑴ 経営者保険の契約形態

企業の維持は創業者個人の経営手腕や信用によるところが大きい。したがって、創業者の死亡による業績悪化リスクを回避するために、経営者保険の契約の形態を次のようにする。

契約者		法人
被保険者		オーナーなどの役員
保険金受取人	死亡時	法人
	満期時	法人

受取保険金は、益金として法人税が課税されるが、死亡退職金や弔慰金として遺族に支給すれば、適正金額は損金扱いとなる。

⑵ 終身保険

事業承継においては、後継者が自社株など資産のほとんどを取得するので、他の相続人との調整が必要である。代償分割にしても、後継者は金融資産を準備しなければならないので、受取人を後継者にすることを考える。

※　受取人を後継者以外の相続人にする方法もある。

2 保険料の一時払い

生前に現金預金から保険料（一時払い）を支払い、生命保険契約を締結した後の相続税の課税遺産総額の引下げを図る。

→生命保険金等および生命保険契約に関する権利

取引相場のない株式（自社株）の評価減対策

1 類似業種比準方式による評価減

⑴ １株当たりの配当金額の引下げ

① 2年間無配当または低率配当

１株当たりの配当の計算は直前期と直前々期の平均であるから、２期続けて配当を抑制する。

ただし、直前期および直前々期とも、配当をゼロにした場合で、比準価額要素の３つがゼロになってしまうと、純資産価額方式で評価される。

② 記念配当や特別配当の利用

１株当たりの配当の算出には、特別配当や記念配当など非継続的な配当は含まれないので、無配にできない場合には、特別配当や記念配当を増やす（「特別配当」「記念配当」はあくまでも非経常的でなくてはならない）。

⑵ １株当たりの利益金額の引下げ

① 損金計上

損金をより多く計上できれば、類似業種比準方式における１株当たりの利益金額が減少し、結果として株価を引き下げることができる。

1）役員退職金の支給
2）不良在庫の処分・廃棄
3）不良債権の放棄（損金算入できるもの）
4）高額な減価償却資産の取得
5）多額の消耗品の購入
6）営業譲受けによる営業権の償却
7）生命保険の加入など

② 会社分割（高収益部門の分離）

⑶ 類似業種平均株価の低い業種への転換

類似業種は主たる業種目を選ぶことになっているので、事業内容が複数あり、兼業している場合には各部門の分離独立による業種分割が可能である。

また、各事業部門の売上割合が接近していれば、主たる業種目を株価の低い業種に移行する方法も考えられる。

⑷ 株式相場下落の利用

類似業種比準方式では、評価額は上場企業の業種別株価をもとに算出されるが、株式相場が下落しているときは、業種別株価も下がっているので、相場下落時に自社株を後継者に贈与または売買することは、低い評価額での移転が可能になり効果が大きい。同様に、自社の業績が悪い場合も類似業種比準方式による評価は下がるので、持株移転の時期とすることができる。

❷ 純資産価額方式による評価減

⑴ 時価と相続税評価額の差がある資産の取得

① 不動産の取得（３年以内に取得した不動産は取引価額で評価）

※ 借入金による不動産投資の場合には、取得した土地または建物が賃貸物件であれば土地は**貸家建付地**として、建物は借家権を控除した価格で評価されるため、ある程度の評価圧縮が可能である。

② ゴルフ会員権の取得

③ 一般動産の取得

④ 生命保険の加入

⑵ 損金計上

※ 前記「❶ 類似業種比準方式による評価減」参照

❸ 配当還元価額方式での評価減

① 配当の引下げ

② 記念配当や特別配当の利用

※ 前記「**1** 類似業種比準方式による評価減」参照

4 持株会社の設立

オーナーが直接会社の株式を所有するのではなく、所有形態を変え、オーナーが持株会社を通じ会社を間接的に所有する対策である。

会社の株式は、売却や現物出資により、持株会社に移転するときに、譲渡所得税等が課税されるので、他の株式の譲渡損失と通算するなどの方法で譲渡しなければ、税負担が大きくなる。

持株会社の配当や利益は少なくして、類似業種比準方式により株価を引き下げる。ただし、総資産価額に占める株式の価額が一定割合（50％）以上であると、株式等保有特定会社とされて、純資産価額方式による評価となり、対策の効果はかなり減殺される。

役員退職金の活用

1 自社株の評価の引下げ

役員に生前退職金を支給することにより、利益・配当を減らす方法で、支給時期を任意に決定することができるというメリットがある。

2 法人税法上の取扱い

⑴ 分掌変更等により損金算入

法人税法上、役員退職金の支給は、役員が完全に会社から引退しなくても、次のいずれかに該当すれば認められる。

① 常勤役員が非常勤役員になった場合

② 取締役が監査役になった場合

③ 分掌変更により、報酬が概ね50％以上減った場合

※ 「地位または職務の内容の激変」が前提となる。

⑵ 役員退職給与の適正額

法人税法上、役員退職給与のうち不相当に高額な部分は損金に算入されない。

そこで、どこまでが適正額であるかが問題となるが、判例のなかで比較的適用例が多いのが「功績倍率方式」である。

《功績倍率方式による適正額》

最終報酬月額×役員在職年数×功績倍率

3 死亡退職金と生命保険金との関係

役員を被保険者とし、契約者および受取人を会社（法人）とする定期保険に納税資金等を考慮して加入していることが少なくない。この場合において、受け取った保険金は法人税法上益金に算入され課税されるが、その保険金を役員の死亡退職金として支払った場合には、前記「2(2)の役員退職給与の適正額」が損金に算入される。

非上場株式等に係る贈与税および相続税の納税猶予制度（一般）

【非上場株式の納税猶予のまとめ（一般）】

	贈与税の納税猶予	相続税の納税猶予
後継者 この特例の対象となる「後継者」は、1つの会社につき1人に限る	経営承継受贈者[注] 贈与時において (1)会社の代表権を有していること (2)**18歳以上**であること (3)役員等の就任から**3年以上**を経過していること 等の要件を満たす者	経営承継相続人等[注] (1)相続開始の直前に役員であったこと（被相続人が70歳未満で死亡した場合等を除く） (2)相続開始から5か月後において会社の代表権を有していること 等の要件を満たす者
代表権を有していた者	(1)会社の代表権を有していたこと (2)**贈与の時までに代表権を有していないこと** 等の要件を満たす者	(1)会社の代表権を有していたこと (2)相続開始の直前において、被相続人および被相続人と特別の関係のある者の議決権割合が50%超で、かつ、経営承継相続人等を除いた株主のうち、被相続人が筆頭株主でなければならない 等の要件を満たす者
納税猶予額	議決権株式等（贈与後で発行済議決権株式等の総数等の2/3に達するまで）の贈与税の**全額**を猶予	後継者の相続税額のうち議決権株式等（相続後で発行済議決権株式等の総数等の2/3に達するまで）の**80%に対応する**相続税の納税を猶予
「継続届出書」の提出	引き続きこの特例の適用を受ける旨などの事項等を記載した「継続届出書」を申告期限後の**5年間は毎年、5年経過後は3年ごと**に所轄税務署へ提出する必要あり	同左
猶予税額の免除	経営承継受贈者が株式等を死亡のときまで保有し続けた場合など	経営承継相続人等が株式等を死亡のときまで保有し続けた場合など

贈与者の死亡時の取扱い	その後継者が猶予対象株式等を相続により取得したものとみなされる（**贈与時の時価**による）	—

（注）「経営承継受贈者」または「経営承継相続人等」とは、それぞれ、「中小企業における経営の承継の円滑化に関する法律」の規定に基づき都道府県知事の認定を受ける一定の非上場会社の代表者であった者の後継者をいう。

非上場株式等に係る贈与税および相続税の納税猶予制度の「特例」と「一般」の比較

【一般制度と特例制度の比較のまとめ】

	特例制度	一般制度
適用期限	10年以内（2018年1月1日から2027年12月31日まで）の贈与・相続等	なし
事前の計画策定等	2018年4月1日から2026年3月31日までの特例承継計画の提出	不要
納税猶予対象株式数	取得したすべての発行済議決権株式等の総数	その会社の発行済議決権株式等の総数の2／3に達するまでの部分
納税猶予割合	100%	贈与：100%　相続：80%
承継パターン	複数の株主から最大3人の後継者へ	複数の株主から1人の後継者へ
後継者の要件	原則制度の要件を満たすこと 【追加要件】 • 特例承継計画に記載された後継者であること（親族、親族以外を問わない） • 後継者が1人の場合には、同族関係者のうち筆頭株主であること（一般制度の要件と同様） • 後継者が2人の場合には、同族関係者のうち上位2位以内、後継者が3人の場合には、同族関係者のうち上位3位以内の株主であり、かつ、議決権の10%以上を有すること	【非上場株式の納税猶予のまとめ】の表を参照
先代経営者等の要件	一般制度の要件を満たすこと 【追加要件】先代経営者以外の者の要件 すべての個人株主が対象（親族、親族以外を問わない）	【非上場株式の納税猶予のまとめ】の表を参照 【追加要件】先代経営者以外の者の要件 すべての個人株主が対象（親族、親族以外を問わない）

雇用確保要件	雇用確保要件を満たせない場合であっても、一定の書類を都道府県へ提出すれば納税猶予を継続できる	事業承継後5年間平均で雇用の8割を維持できない場合は納税猶予が打ち切られる
事業の継続が困難な事由が生じた場合の免除	あり	なし
相続時精算課税の適用	60歳以上の者から18歳以上の者への贈与	60歳以上の者から18歳以上の推定相続人、孫への贈与

個人の事業用資産についての納税猶予制度

個人の事業用資産に係る贈与税・相続税の納税猶予（個人版事業承継税制）と非上場株式等に係る納税猶予（特例制度）との比較

	個人の事業用資産に係る納税猶予	非上場株式等に係る納税猶予（特例制度）
内容	贈与税・相続税の納税猶予	贈与税・相続税の納税猶予
納税猶予割合	100%	100%
主な対象資産	事業用土地（400㎡まで） 事業用建物（800㎡まで） 機械・器具備品等 ※不動産貸付事業等を除く ※前年分の青色申告書に添付される貸借対照表に計上されているものに限る	非上場株式等
被相続人・贈与者	先代事業者または先代事業者からの相続・贈与以後1年以内の同一生計親族の相続・贈与も対象	先代経営者または先代経営者からの相続・贈与の申告期限から5年以内の先代経営者以外の株主の相続・贈与も対象
後継者	1人	最大3人まで
猶予税額計算における事業用債務の控除	控除する	控除しない
小規模宅地等の特例（評価減）との関係	特定事業用宅地等とは選択 特定居住用宅地等とは併用可能 それ以外は面積制限	併用可能
相続時精算課税	認定受贈者（18歳以上の要件あり）が贈与者の直系卑属である推定相続人以外の者であっても、その贈与者がその年1月1日において60歳以上である場合には適用を受けることができる	同左

※　被相続人（贈与者）は相続開始（贈与）前において、青色申告の承認を受けていなければならない。認定相続人（受贈者）は相続開始（贈与）後において、申告期限に開業届出書を提出していることおよび青色申告の承認を受けていることが要件とされる。

※　認定相続人（受贈者）は、申告期限から3年経過後は、3年ごとに継続届出書を税務署長に提出しなければならない。

中小企業における経営の承継の円滑化に関する法律に伴う民法の特例

特例合意の内容

旧代表者（旧個人事業者）から推定相続人が受けた贈与について、下記に掲げる遺留分に係る合意を実施することができる。なお、**⑴と⑵は組み合わせて適用することができる。**

⑴ 除外合意

後継者が贈与を受けた株式等（事業用資産）を遺留分算定基礎財産から除外する。

⑵ 固定合意（会社の承継の場合のみ、利用できる）

後継者が贈与を受けた株式等の評価額を合意時で固定する。

※　弁護士、公認会計士、税理士等による評価額の証明が必要

⑶ 付随合意（単独で行うことはできず⑴と⑵を併せて行う）

下記に掲げる財産を遺留分算定基礎財産から除外する。

①　後継者が贈与を受けた株式等（事業用資産）以外の財産

②　非後継者が贈与を受けた財産

相続財産に係る非上場株式をその発行会社に譲渡した場合のみなし配当課税の特例

1 要　件

相続または遺贈による財産の取得をした個人でその相続または遺贈につき相続税があるものが、その相続の開始があった日の翌日からその**相続税の申告書の提出期限の翌日以後３年を経過する日までの間**に、その相続税額に係る課税価格の計算の基礎に算入された上場株式等以外の株式（以下「非上場株式」という）を当該非上場株式の発行会社に譲渡した場合。

2 取扱い

当該非上場株式の譲渡の対価として当該発行会社から交付を受けた金銭の額が当該発行会社の資本金等の金額のうち、その交付の基因となった株式に対応する部分の金額を超えるときは、その超える部分の金額については、みなし配当課税を行わない。

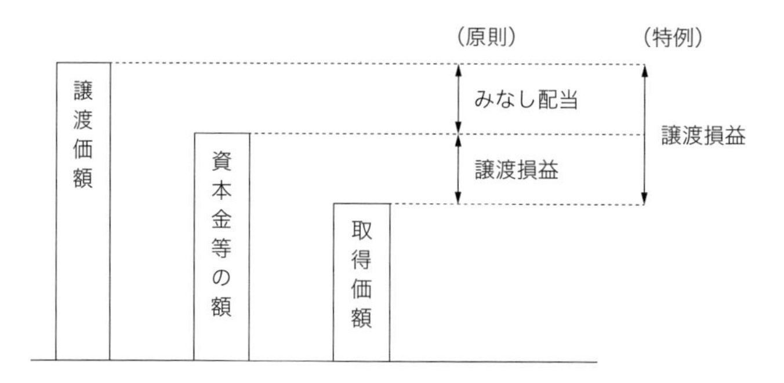

3 金庫株制度

(1) 自社株の取得・保有・処分

会社が自社の発行する株式（自社株・金庫株）を取得すると、出資の払戻しと同じ結果になる。自社株の取得は可能であるが、取得の手続と取得の財源に関する規制のみ適用されている。

取得手続の原則	株主総会で、株式数・対価・期間を定めて決議すれば、自社株を取得できる。決議により、定めた枠の範囲内で自社株を取得することを取締役会に授権することになる。 (注) 特定の者から自己株式を取得するためには、株主総会の特別決議が必要である。
取得の財源	自社株を取得する財源として使えるのは、原則として、配当に回すことのできる剰余金（分配可能額）である。
保有と処分	自社株は、消却や処分をしてもよく、保有してもよい。保有していても、議決権や剰余金の分配を受ける権利などはない。処分の方法は、原則として取締役会で決定する（定款に譲渡制限の定めのある会社の場合は、株主総会の特別決議）。

4 分配可能額

剰余金 （前期末）	分配可能額
自己株式取得までの期間の剰余金等	自己株式等

(注) ただし、自己株式を取得することにより、貸借対照表の純資産額が300万円を下回ってはならない。

会社設立（法人成り）

1 会社設立（法人成り）のメリット

① 取引先などの対外信用の増大および資金調達が有利となる

② 事業所得から給与所得への転換

個人事業の経営者は事業所得として申告するが、法人設立後は法人からの役員報酬として給与所得となる。

③ 家族従業員に対する給与・退職金支給が可能

経営者本人に対する退職金は、個人の場合は支払えないが、法人であれば支払うことは可能である。

④ 生命保険料の経費化

代表者本人を被保険者とする生命保険契約は、法人の場合にはその保険料の全部または一部を損金の額に算入することができるが、個人の場合には生命保険料控除しかない。

⑤ 消費税が２年間免税（資本金1,000万円未満の場合）

資本金が1,000万円未満であれば法人設立後２年間は消費税は免税である。

⑥ 相続税対策に有利

事業承継は自社株の贈与などにすれば、個人資産の贈与よりも簡単である。また、相続税対策として自社株の方が計画的に実行できる。

⑦ 欠損金（純損失）の繰越控除

個人の場合には純損失の金額は最高で３年間しか繰り越せないが、法人の場合には欠損金2018年４月１日以後開始事業年度からは10年間繰り越すことができる。

なお、これらは青色申告が要件とされているものであるため、白色申告の場合には受けられない。

2 デメリット

① 記帳業務や申告が個人の場合よりも複雑

② 交際費には限度枠がある

個人の場合には、「損金算入限度額」といった考え方はないが、法人の場合には、資本金などからの損金不算入が問題になる。

③ 各種経費負担の増大（設立費用、税理士報酬など）

④ 税務調査が多い

個人の場合に比べて法人の場合の方が税務調査を受けることが多い。

⑤ 同族会社の特別な取扱い

法人成りによって設立した法人は同族会社である場合が多く、同族会社に該当すれば、役員の認定など特別な取扱いがある。

M&Aの手法

1 合併

会社の全資産・負債、従業員等すべてを他の会社に移転する手法。合併には、２社以上の会社が一体化して新会社を作る新設合併と存続する会社が他の会社を吸収する吸収合併がある。

2 株式交換

自社の株式と他社の株式を交換する手法。会社は交換先会社の100％子会社となり、オーナー等が所有していた自社株が交換先会社の株式に変わる。

3 会社分割

複数の事業部門を持つ会社が、その一部門（当該部門に係る資産・負債や従業員等を含む）を他の会社に承継する手法。

4 株式譲渡

オーナー等が所有している自社株を第三者に売却する手法。株主は変わるが、従業員の雇用や取引先関係はそのまま継続することになる。事業承継を前提としたM&Aの場合は株式譲渡を利用するケースがほとんどである。

5 事業譲渡

個別の事業（営業資産）を他の会社に売却する手法。

6 事業承継・引継ぎ支援センター

事業承継・引継ぎ支援センター（以下、「センター」という。）は、経済産業省の委託を受けた機関（都道府県商工会議所、県の財団等）が実施する事業である。具体的には、M&Aのマッチングおよびマッチング後の支援、従業員承継等に係る支援に加え、親族内承継の事業承継計画策定支援など事業承継に関連した幅広い相談対応を行っている。

センターは全国48カ所（全都道府県に各１カ所、ただし東京都は２ヵ所）に設置されており、地域金融機関OBや公認会計士・税理士・中小企業診断士・弁護士等の士業等専門家といった、M&Aの知見を有する専門家が常駐している。

7 M&A支援機関

M&A支援機関とは、中小M&Aガイドラインにおける「支援機関」のうち、中小企業に対してFA業務または仲介業務を行う者である。

M&A支援機関として登録されたFA・仲介業者は基本的な情報を中小企業庁の

ホームページに公表される。また、M&A支援機関登録事務局のホームページにおいて登録機関データベースとして、登録FA・仲介業者の情報を提供している。

登録されたM&A支援機関は中小M&Aガイドラインを遵守している。仮に、登録されたM&A支援機関による支援を巡ってトラブルが起きた際、情報提供する受付窓口もある。

Part Ⅱ

借地権（借地借家法）

1 普通借地権と定期借地権のまとめ

区分	普通借地権	定期借地権			
		一般定期借地権	建物譲渡特約付借地権	事業用定期借地権等	
				短期型	長期型
存続期間	**30年以上**	**50年以上**	30年以上	10年以上 30年未満	30年以上 **50年未満**
建物利用目的	制限なし	**制限なし**	制限なし	専ら事業の用に供する建物に限る **（居住用建物は不可）**	
借地権契約の更新	最初の更新は20**年以上**、その後は10**年以上**	なし	なし	なし	
契約方式	制限なし	公正証書等の書面または電磁的記録	制限なし	公正証書に限る	
借地関係の終了	法定更新がある	期間満了	建物所有権が地主に移転したとき（注1）	期間満了	
借地権者の権利 **①契約の更新** **②建物の築造による期間延長** **③建物買取請求権**	①～③は、当然認められる内容	①～③を**排除する旨を定めること**（書面または電磁的記録に明記すること）	契約により異なる 短期型の事業用定期借地権等との併用は不可	適用しない（特約の必要もなし）	①～③を排除する旨を定めること（公正証書に明記すること）（注2）

（注1）建物譲渡特約に基づき借地権が消滅し、その借地権者または建物の賃借人で当該建物の使用を継続している者が借地権設定者に請求した場合、その建物につき、その借地権者または建物の賃借人と借地権設定者との間で期間の定めのない賃貸借がされたものとみなされる。また、借地権者が請求した場合において、借地権の残存期間があるときは、その残存期間を存続期間とする賃貸借がされたものとみなされる。

（注2）存続期間満了時において、借地権設定者と借地権者が合意したうえで、借地権設定者が建物を買い取ることは可能である。

借家権（借地借家法）

1 存続期間と更新（普通借家権）

(1) 期間を定める場合

① 存続期間

借家契約については、**50年を超えて設定することができる**。民法（最長50年）の規定は適用されない。ただし、１年未満の期間を定めた場合、期間の定めのない建物の賃貸借とみなされる。

② 法定更新

(a) 当事者が**契約期間満了の１年前から６ヵ月前までの間**に、更新拒絶の通知または条件を変更しなければ更新しない旨の通知をしなかったときは、従前の契約と同一の条件（ただし、契約期間については期間の定めのない契約となる）で**更新したものとみなされる**。賃貸人が更新拒絶を行う場合は正当事由が必要である。

(b) 更新拒絶の通知があった場合でも、期間満了後、賃借人が使用を継続し、賃貸人がそれに対して遅滞なく異議**を述べなかった**ときは、同様に更新したものとみなされる。

(2) 期間を定めない場合

① 解約の申入れ

当事者はいつでも解約の申入れを行うことができるが、賃貸人が行う場合は**正当事由が必要**である（賃借人からは**正当事由が不要**）。解約の申入れを行うと下記の期間経過後に賃貸借契約は終了する。

- 賃貸人から解約の申入れを行った場合→**６ヵ月**
- 賃借人から解約の申入れを行った場合→**３ヵ月**

② 法定更新

賃貸人が①の解約の申入れを行い６ヵ月経過した場合でも、賃借人が使用を継続し、賃貸人がそれに対して遅滞なく異議**を述べなかった**ときは、**更新したものとみなされる**。

2 借家権の対抗要件

民法上、対抗要件は賃借権の登記であるが、借地借家法では、賃借権の登記がなくても**建物の引渡し**を受けていれば、建物を取得した第三者に対抗できるとしている。たとえば、Ｂが賃借している家屋を所有者ＡがＣに売却した場合でも、Ｂが建物に住んでいれば、ＢはＣに対して賃借権を主張することができる。

3 造作買取請求権

賃借人は、一定の要件を備えた造作を、賃貸借契約が**期間の満了**または**解約申入れによって終了するとき**に、建物の賃貸人に対して時価で買い取るべきことを請求することができる。ただし、この規定は**特約で排除することができる**。

4 定期建物賃貸借等

借家にも、更新されない期限付きの借家契約が認められる。

① 使用目的
居住用の建物に限定されず、店舗、事務所にも適用される。

② 要件・方法

(a) 期間の定めのある建物の賃貸借であること。1年未満の期間を定めることができる。たとえば、6ヵ月と定めれば6ヵ月となる。

(b) 公正証書等の**書面または電磁的記録**によって契約を締結しなければならない。

(c) 契約締結にあたって、賃貸人は賃借人に対し、あらかじめ、契約の更新がなく、期間満了によって賃貸借が終了することにつき、その旨を記載した**書面または電磁的記録を交付して説明**する必要がある。この書面または電磁的記録による説明がないときは、更新がないこととする旨の定めは**無効**となり、契約の更新がある賃貸借契約となる。

③ 終　了

(a) 賃貸人からの通知
期間が**1年以上**の定期建物賃貸借であるときは、賃貸人は、期間満了の1年前から6ヵ月前までの間（**通知期間**）に、賃借人に賃貸借が終了する旨の**通知**をしなければ、その終了を賃借人に対抗することができない。通知期間経過後の通知のときは、**通知の日から6ヵ月の経過によって終了する**。

(b) 賃借人からの中途解約
賃貸借の対象となる床面積が200㎡未満の**居住用建物**の定期建物賃貸借において、転勤、療養、親族の介護その他やむを得ない事情によって、賃借人が建物を生活の本拠として使用することが困難となったときは、賃借人は解約申入れをすることができる。賃貸借は**解約申入れ**から1ヵ月で終了する。

(c) (a)や(b)に反する特約で賃借人に**不利な特約は無効**となる。

④ 賃料改定に係る特約
賃料の増額だけではなく、**減額の請求もできないとすることができる**。

建築基準法

1 用途制限

2つの用途地域にまたがる場合

1つの敷地が2つの用途地域にまたがる場合は面積の大きいほうの用途による。

近隣商業地域	商業地域
150㎡	100㎡

150㎡＞100㎡　∴近隣商業地域

2 建蔽率

(1) 建蔽率とは

建蔽率とは、建築面積を敷地面積で割った割合である。

$$建蔽率 = \frac{建築面積}{敷地面積}$$

(2) 建蔽率の制限

① 指定建蔽率

建築物の敷地が建蔽率の制限を受ける地域または区域の2以上にわたる場合、各地域の建蔽率の限度に、その敷地の当該地域にある各部分の面積の敷地面積に対する割合を乗じて得たものの合計（**加重平均**）以下でなければならない。

用途地域等	指定建蔽率
第一種・第二種低層住居専用地域 第一種・第二種中高層住居専用地域 田園住居地域、工業専用地域	30%、40%、50%、60%
第一種・第二種住居地域 準住居地域、準工業地域	50%、60%、80%
工業地域	50%、60%
近隣商業地域	60%、80%
商業地域	80%
用途地域の指定のない区域	30%、40%、50%、60%、70%

② 建蔽率の緩和

(a) 防火地域内にある耐火建築物等または準防火地域内にある耐火建築物

等・準耐火建築物等を建築する場合、指定建蔽率に10%を加える。

(b) 街区の角にある敷地またはこれに準ずる敷地で、特定行政庁が指定するものの内にある建築物を建築する場合、指定建蔽率に10%を加える。

<table>
<tr><td>防火地域内の耐火建築物等(注1)</td><td rowspan="2">＋10%緩和</td><td rowspan="3">両方に該当する場合は
＋20%緩和</td></tr>
<tr><td>準防火地域内の耐火建築物等・準耐火建築物等(注2)</td></tr>
<tr><td>特定行政庁指定の角地</td><td>＋10%緩和</td></tr>
</table>

(注1) 耐火建築物またはこれと同等以上の延焼防止性能（通常の火災による周囲への延焼を防止するために壁、柱、床など建築物の部分および防火戸など一定の防火設備に必要とされる性能）を有する一定の建築物

(注2) 準耐火建築物またはこれと同等以上の延焼防止性能を有する一定の建築物

③ 地域の内外にわたる場合

(a) 防火地域の内外にわたる場合

建築物の敷地が**防火地域の内外にわたる**場合において、その敷地内の建築物の**全部が耐火建築物等**であるときは、その敷地は**すべて防火地域にあるものとみなして、**②(a)の緩和が適用される。

(b) 準防火地域と他の地域にわたる場合

建築物の敷地が**準防火地域**と防火地域および準防火地域以外の区域とにわたる場合において、その敷地内の建築物の**全部が耐火建築物等または準耐火建築物等**であるときは、その敷地は、**すべて準防火地域内にあるものとみなして、**②(a)の緩和が適用される。

④ 建蔽率の適用除外

建蔽率80%の地域であり、かつ**防火地域内に耐火建築物等を建築**する場合においては、**建蔽率制限が適用されない**（**建蔽率100%**となる）。

3 容積率

(1) 容積率とは

容積率とは、延べ面積（各階の床面積の合計）を敷地面積で割った割合である。

$$容積率 = \frac{延べ面積}{敷地面積}$$

(2) 容積率の制限

① 指定容積率

建築物の敷地が容積率の制限を受ける地域または区域の2以上にわたる場合、各地域内の容積率の限度に、その敷地の当該地域にある各部分の面積の

敷地面積に対する割合を乗じて得たものの合計（**加重平均**）以下でなければならない。

② 前面道路の幅員による容積率の制限

前面道路（2つ以上に面する場合は**幅の広いほう**）の幅員が**12m未満の場合**は、次のａ、ｂのうち**小さい**ほうが限度となる。

a 都市計画で定められる容積率（指定容積率） b 道路の幅員×法定乗数(注)

（注）特定行政庁が都道府県都市計画審議会の議を経て指定する区域ではない場合、法定乗数は次の数値となる。

住居系の用途地域：$\frac{4}{10}$、**その他**の区域：$\frac{6}{10}$

4 特定道路による容積率の緩和

前面道路の幅員が6ｍ以上12m未満で、かつ、前面道路に沿って**幅員15m以上の道路（特定道路）からの距離が70m以内**にある敷地の場合は、次のア、イのうち小さいほうが限度となる。この規定により、前面道路の幅員による容積率は緩和されるが、都市計画において定められた容積率の限度は超えることができない。

ア 都市計画で定められた容積率（指定容積率） イ （道路の幅員＋Ａ）×法定乗数

※ $A=\frac{(12m-前面道路の幅員)\times(70m-特定道路までの距離)}{70m}$

5 建築物の高さの規制

⑴ 斜線制限（高さ制限）

① 道路斜線制限

(a) 適用区域

全用途地域および**用途地域の指定のない区域**

(b) 制限の内容

建築物の各部分の高さは、その部分から前面道路の反対側の境界線までの水平距離に一定の数値を乗じた数値以下でなければならない。建築物を道路境界線から敷地の内側へ後退して建築する場合、その後退距離だけ前面道路の幅員が道路の反対側に拡大したものとして、この制限を適用する。

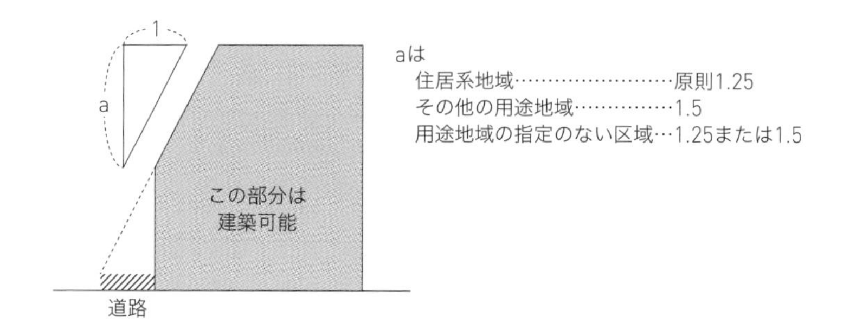

② 隣地斜線制限

(a) 適用区域

第一種低層住居専用地域、第二種低層住居専用地域および田園住居地域を除く地域。これらの地域内においては、建築物の高さの制限（**10mまたは12m**）があるので、隣地斜線制限は適用されない。

(b) 制限の内容

図のように、隣地境界線との間に一定の空間を設けるようにする。立上がりの長さが、**住居系**（低層住居専用地域、田園住居地域および高層住居誘導地区内の一定の建築物を除く）では**20m**、その他の用途地域では**31m**であるため、これより低い建築物については適用されない。

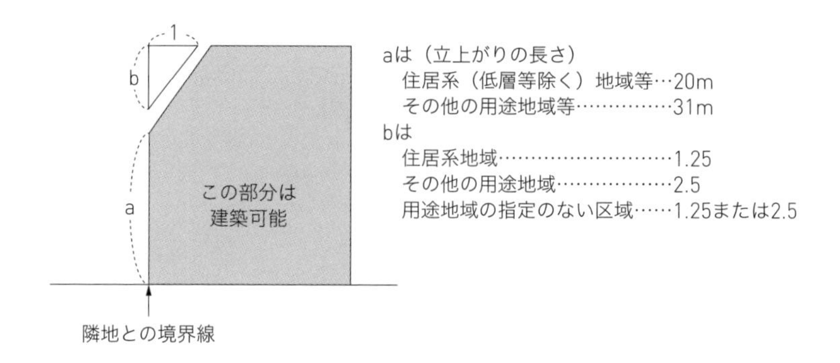

③ 北側斜線制限

(a) 適用区域

- **第一種低層住居専用地域、第二種低層住居専用地域、田園住居地域**
- **第一種中高層住居専用地域、第二種中高層住居専用地域（日影規制（下**

記(2)) が指定されているものを除く)

(b) 制限の内容

日照の確保を目的とするため、北側の敷地境界線との間に一定の空間を設けるようにする。ここでは立上がりの長さが、低層住居専用地域および田園住居地域では5m、中高層住居専用地域では10mとなる。

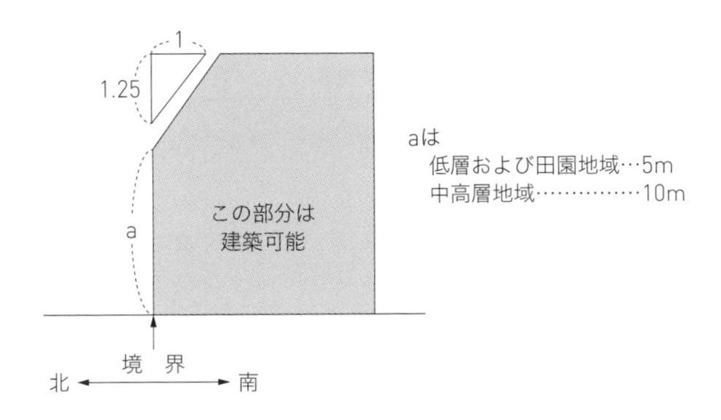

(2) 日影規制(日影による中高層建築物の高さの制限)

次の対象区域のうち、地方公共団体の条例で指定される区域内にある一定の建築物は、冬至日のAM 8時からPM 4時まで(北海道ではAM 9時からPM 3時まで)の間において、それぞれ一定の時間、隣地に日影を生じさせることのないものとしなければならない。

【制限の内容】

対象区域	規制の対象となる建築物
第一種低層住専 第二種低層住専 田園住居地域	軒の高さが7mを超える建築物または地階を除く階数が3以上の建築物
第一種中高層住専 第二種中高層住専	高さが10mを超える建築物 (適用区域内では、北側斜線制限は適用されない)
第一種住居・第二種住居・ 準住居・近隣商業・準工業	高さが10mを超える建築物

※ 用途地域の指定のない区域については、上記のいずれかを地方公共団体の条例で指定。

⑶ 高さ制限等のまとめ（カッコ内は立上がりの長さ）

地　域	道路斜線	隣地斜線	北側斜線	日影規制（条例指定）
第一種低層住専	○	×	○（5m）	軒高7m超または地上階数3以上
第二種低層住専	○	×	○（5m）	
田園住居地域	○	×	○（5m）	
第一種中高層住専	○	○（20m）	○（10m）(注2)	○　高さ10m超
第二種中高層住専	○	○（20m）	○（10m）(注2)	
第一種住居地域	○	○（20m）(注1)	×	
第二種住居地域	○	○（20m）(注1)	×	
準住居地域	○	○（20m）(注1)	×	
近隣商業地域	○	○（31m）	×	
商業地域	○	○（31m）	×	×
準工業地域	○	○（31m）	×	○　高さ10m超
工業地域	○	○（31m）	×	×
工業専用地域	○	○（31m）	×	×
無指定地域	○	○（20または31m）	×	○　軒高7m超または地上階数3以上または高さ10m超

（注1）高層住居誘導地区内の建築物で一定のものを除く。
（注2）日影規制の対象区域では適用しない。

6 建築基準法上の道路

建築基準法上の法42条道路は次に掲げるものをいう。

種　類			内　容
42条1項	幅員4m以上（原則）	1号	道路法による道路（国道、都道府県道、市区町村道）
		2号	都市計画法、土地区画整理法、都市再開発法などによる道路
		3号	建築基準法が施行された際（1950年11月23日）、現に存在する道、または都市計画区域などに指定された際、すでに存在する道
		4号	都市計画法、道路法、土地区画整理法などで2年以内に道路を造る事業が予定されるものとして特定行政庁が指定したもの
		5号	1号～4号以外の私道でかつ一定の技術的基準に適合するもので、特定行政庁からその道路の位置指定を受けたもの
42条2項	幅員4m未満	6号	3号の場合ですでに建築物が建ち並んでいるもので特定行政庁が指定したもの **道路中心線から2m（原則）が道路とみなされる**

7 建築物の敷地の接道義務

建築物の敷地は、建築基準法上の**道路**（自動車専用道を除く）に**2m以上**接しなければならないのが原則である。

〈図　示〉

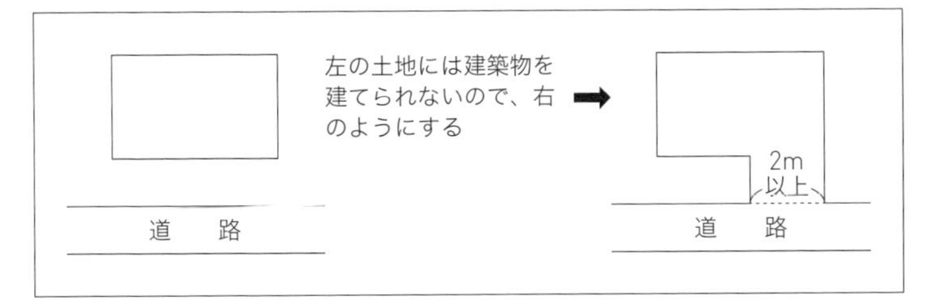

不動産売買契約

1 売主の責任

契約不適合責任

引き渡された目的物が種類、品質または数量に関して契約の内容に適合しない場合に認められる。契約不適合責任は法律的な内容も含む（判例）。たとえば、法令上の制限があって、建物を建築できない場合である。

買主が売主に契約不適合責任を追及する手段として、目的物の修補、代替物の引渡しまたは不足分の引渡しの「追完請求」、不適合の程度に応じた「代金減額請求」などがある。

売主が**種類**または**品質**に関して、契約内容に適合しない目的物を買主に引き渡した場合、買主がその不適合を理由として、追完請求、代金減額請求、損害賠償請求および契約解除をするためには、買主がその**不適合を知った時**から**1年以内**にその旨を**売主に通知**しなければならない。ただし、売主が**引渡しの時**にその不適合を知っていた場合や重大な過失により知らなかったときは、1年経過後の通知でも各種請求等をすることができる。

居住用財産を譲渡した場合の特例

1 居住用財産を譲渡した場合の3,000万円特別控除

(1) 要件

① 居住用財産の売却であること

(a) 現に居住している家屋またはその家屋と敷地

(b) 一定の家屋と敷地で、居住しなくなってから3年を経過した年の年末までに売却したもの

② 売却した相手方が親族等の特別の関係にある者でないこと

③ 前年または前々年にこの特例の適用を受けていないこと

④ 本年、前年、前々年に居住用財産の買換えの特例を受けていないこと

所有期間が10年超の場合、**この特例と特定の居住用財産の買換え・交換の特例は選択適用**となる。なお、店舗併用住宅の住宅部分にこの特例の適用を受けた場合でも、店舗部分に特定の事業用資産の買換え特例を適用できる。

2 居住用財産を譲渡した場合の長期譲渡所得の課税の特例（軽減税率）

⑴内　容

居住用財産（譲渡した年の１月１日における所有期間が10年超のもの）を譲渡した場合の長期譲渡所得について、3,000万円特別**控除後**の譲渡益（課税長期譲渡所得）に対して、次の軽減税率を適用する。

譲　渡　益	税　率
6,000万円以下の部分	14%（所得税10%・住民税4%） 14.21%（所得税10.21%・住民税4%）(注)
6,000万円超の部分	20%（所得税15%・住民税5%） 20.315%（所得税15.315%・住民税5%）(注)

（注）復興特別所得税を考慮した場合。

⑵その他の留意事項

① 居住用財産の買換えの特例とは**併用できない**。
② 住宅借入金等特別控除は**適用できない**。
③ 店舗併用住宅の住宅部分に特例の適用を受けた場合でも、**店舗部分に特定の事業用資産の買換え特例を適用することができる**。
④ **建物とともに土地を譲渡した場合**、建物および土地の**いずれも所有期間が10年超**でなければならない。

3 特定の居住用財産の買換え・交換の特例

居住用財産（譲渡した年の１月１日において所有期間10年超）を譲渡し、新たに居住用財産を取得し居住の用に供する、または供する見込みである場合は、所得税および**住民税**において適用を受けることができる。この特例では、譲渡価額のうち、買換資産の購入額に相当する部分の収入がなかったものとして、課税が繰り延べられる。

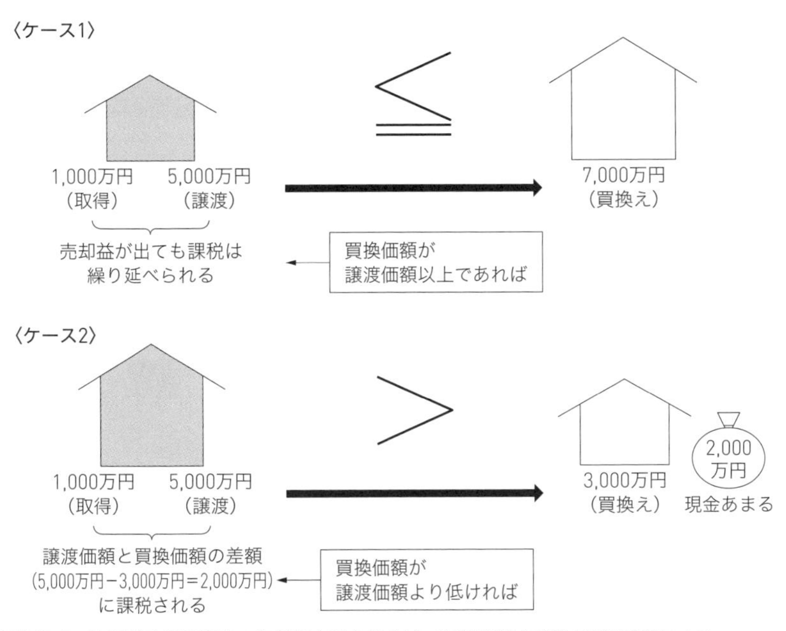

※　買換資産の取得費は譲渡資産の取得費を引き継ぐが、取得時期は実際の取得時期による。

※　買換取得資産について、**住宅借入金等特別控除は適用できない。**

⑴ 要　件

① 譲渡資産

(a) 所有期間が**10年超**（譲渡した年の1月1日において）

※　家屋または土地等のいずれか一方でも所有期間が10年以下である場合は、適用を受けることはできない。

(b) 居住期間が**10年以上**（通算でよい）

(c) 譲渡対価が1億円以下である

② 一定の親族に対する譲渡ではない

③ 買換資産（親族が所有していたものでも可）

(a) 建物……床面積**50㎡以上**（上限なし）、土地……**500㎡以下**

(b) 中古住宅（耐火建築物）の場合

→取得の日以前25年以内に建築されたものである（ただし、一定の耐震基準を満たすものについては、建築年数の制限はない）。

(c) 耐火建築物以外の中古住宅（非耐火既存住宅）の場合

→取得の日以前25年以内に建築されたものである（ただし、取得期限までに一定の耐震基準を満たしたものについては、建築年数の制限はない）。

(d) 次の場合、一定の省エネ基準を満たす必要がある。

- 2024年１月１日以後に建築確認を受ける住宅（登記記録上の建築日が2024年６月30日以前のものを除く）
- 2023年12月31日以前に建築確認を受けており、登記記録上の建築日が2024年７月１日以後の住宅

④　**所得に関する要件なし**

⑤　特例の適用が受けられない場合

(a)　居住用財産の3,000万円特別控除の適用を受ける場合

(b)　10年超所有の軽減税率の適用を受ける場合

(c)　他の買換え特例の適用を受ける場合。なお、店舗併用住宅を譲渡し、同種の店舗併用住宅を取得したときは、居住用部分についてこの特例の適用を受け、店舗部分について特定事業用資産の買換え特例の適用を受けることができる。

4 空き家に係る譲渡所得の特別控除の特例

相続により旧耐震基準しか満たしていない空き家を取得した者が、当該空き家に**耐震改修を施し**、もしくは当該空き家を**除却して土地のみを譲渡**する場合、一定の要件を満たせば、譲渡益から**3,000万円（2024年１月１日以降の譲渡について相続により取得した相続人が３人以上の場合には2,000万円）を控除できる**。

⑴要　件

①　2027年12月31日までの間に譲渡する（相続の開始があった日以後３年を経過する日の属する年の12月31日までの間に譲渡したものに限る）。

②　相続開始の直前において被相続人の居住の用に供されていた家屋（**1981年５月31日以前**に建築された家屋で、区分所有建築物を除く）であって、当該相続開始の直前において当該被相続人以外に居住していた者がいないこと。

③　譲渡の時（2024年１月１日以降の譲渡については、譲渡した年の翌年２月15日まで）において地震に対する安全性に係る規定またはこれに準ずる基準に適合する家屋、もしくは家屋を除却した土地である。

④　**譲渡対価**が**１億円以下**である。

⑤　当該相続の時から当該譲渡の時まで事業の用、貸付けの用または居住の用に供されていたことがないこと。

⑥　老人ホーム等に入所をしたことにより被相続人の居住の用に供されなくなった家屋およびその家屋の敷地の用に供されていた土地等は、次に掲げる要件も満たす必要がある。

(a)　被相続人が要介護認定等を受け、かつ、相続開始の直前まで老人ホーム等に入所をしていた。

(b)　被相続人が老人ホーム等に入所をした時から相続開始の直前まで、その

家屋について、その者による一定の使用がなされ、かつ、事業の用、貸付けの用またはその者以外の者の居住の用に供されていたことがない。

5 相続財産を譲渡した場合の取得費の特例

相続または遺贈により取得した土地や建物を、相続開始のあった日の翌日から相続税の**申告期限の翌日以後３年**を経過する日まで（相続開始から３年10か月以内）に譲渡した場合、相続税額のうち一定金額を譲渡資産の取得費に加算することができる制度。

固定資産の交換の特例

同一種類の資産を交換し同一用途に供している場合の経済的効果および金銭の授受がないことによる担税力の考慮から、一定の要件の下に課税の繰延べを認めようとするものである。

1 適用要件

⑴ 交換対象資産

主に次に掲げる固定資産の**同一区分内**での交換であること（棚卸資産は対象外）

① 土地（借地権等を含む―**所有権**《底地》と借地権）

② 建物（これに附属する設備などを含む）

⑵ 所有期間

譲渡資産および取得資産（交換のために取得したと認められるものを除く）を**それぞれの所有者が１年以上所有**していたこと。

⑶ 用　途

取得資産の用途と譲渡資産の譲渡直前の用途が、**同一**であるかを**当事者ごと**に判定する。取得資産を同一の用途に供したかの判定は、下記の土地または建物の用途の区分に応じる。

【同一の用途の判定】

土地……宅地、田畑、山林など

建物……居住用、店舗または事務所用、倉庫用など

⑷ 交換差金等

交換時における譲渡資産と取得資産との価額（時価）の差額（**交換差金等**）が、これらの価額のうち、**いずれか多い価額の20%以下**であること。

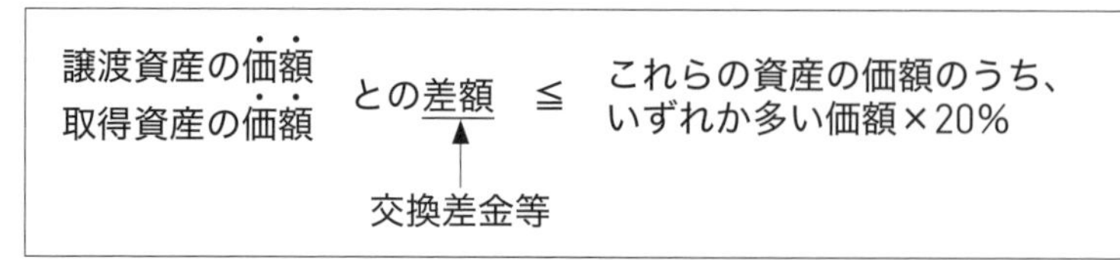

2 注意事項

(1) 交換に伴って相手方から金銭などの交換差金を受け取ったときは、その交換差金が**譲渡所得**として（不動産所得ではない）所得税の課税対象となる。

(2) 取得資産の取得時期は、**譲渡資産の取得時期を引き継ぐ**。したがって、将来取得資産を譲渡する場合は、この譲渡資産の取得時期をもとに短期・長期の判定を行う。

(3) 取得資産の取得費は、譲渡資産の取得費を引き継ぐ。

(4) 土地付建物と土地付建物を交換した場合は、**土地と土地、建物と建物を交換**したものとして特例を適用できる。ただし、**土地建物の総額で等しい時価**である場合でも、土地と土地、建物と建物で判断するため、それぞれの時価が等価でない場合には、**差額は交換差金**となる。

(5) 交換により取得した２以上の資産の一方を交換により譲渡した資産と**同一の用途に使用しなかった場合**、その資産の価額が**交換差金**とみなされる。

(6) 一つの資産の**一部を売買**とした場合、売買した部分については**交換差金**とみなす。

(7) 当事者の一方が、取得した交換資産を同一の用途に供さないなど、当事者の一方が要件を満たしていない場合でも、他方が要件を満たしていれば特例を適用できる。つまり、要件を満たしているかの判定は当事者ごとに判断する。

(8) 交換差金の授受の有無にかかわらず、**確定申告が必要**である。

既成市街地等内の買換え等の特例（立体買換え）

1 適用要件

個人が所有する土地をディベロッパーに譲渡し、ディベロッパーが建物を建て、完成後の土地・建物を土地所有者とディベロッパーが分け合うという、等価交換事業に際して課税の特例を認めている。

個人（法人は適用不可）が、下表の譲渡資産を譲渡し、譲渡の日の属する年の12月31日までに次の買換資産を取得（見込み取得も可）し、買換資産を**取得の日から１年以内**に**事業の用**または**居住の用**に供する（供する見込みも可）ことで適用を受けられる。

譲渡資産	資産の種類	土地等（借地権含む）、建物、構築物
譲渡資産	地　　域	① 首都圏整備法の既成市街地等の区域 ② ①に準ずる区域として政令で指定された区域 ③ 中心市街地共同住宅供給事業の区域
譲渡資産	所有期間	**制限はない**
譲渡資産	用　　途	**制限はない**（注）
買換資産	階　　数	**地上階数3以上**
買換資産	構　　造	**耐火建築物**または**準耐火建築物**
買換資産	用　　途	• 取得の日から**1年以内**に**事業用**または**居住用**に供するまたはその見込み • 床面積の**1／2以上**が**居住用**
買換資産	建築主	• **土地等を譲渡した者** • **土地等を取得した者**（転得者は不可）

（注）居住用、事業用、空閑地などでも可。ただし、販売目的で保有している土地等（棚卸資産）は除く。

特定の事業用資産の買換え特例

1 趣　旨

個人が事業用資産を譲渡した場合に、一定の資産を取得し、その取得した買換資産を取得の日から１年以内に事業の用に供したときは、課税の繰延べが認められる。

2 適用要件

⑴ 譲渡資産および買換資産は、ともに事業用であること。

※　事業とは、事業と称するに至らない不動産等の貸付けも含む。

⑵ 譲渡資産および買換資産が一定の組合せに該当すること。下表はその代表例である。

譲渡資産	買換資産
国内にある事業用の土地等や建物または構築物で譲渡年の1月1日における所有期間が**10年を超える**もの	国内にある事業用の土地等、建物または構築物 ※土地等への買換えの場合は、事務所等の一定の建築物等の敷地の用に供されているもののうち、その面積が**300㎡以上**の土地に限定

⑶ 買換資産である土地等の面積が譲渡資産である土地等の面積の５倍を超える場合には、その超える部分の面積に対応するものは、買換資産に該当しない。

⑷ 資産を譲渡した年か、その前年中、あるいは譲渡した年の翌年中に買換資産を取得すること。

⑸ 事業用資産を取得した日から**１年以内**に事業の用に供すること。なお、**譲渡の相手が同一生計親族である場合でも**、この特例の適用を受けられる。

土地の有効活用

事業受託方式

1 事業受託方式の仕組み

事業受託方式（総合企画請負方式）とは、その土地の立地調査、法的規制の調査、マーケティング、事業形態の決定、事業の収益性、事業資金の調達、近隣問題の解決、建設会社の選定、施工、監理、さらに事業化の過程での法律問題、税務問題など一切の業務をディベロッパーが請け負うものである。

〈事業受託方式〉

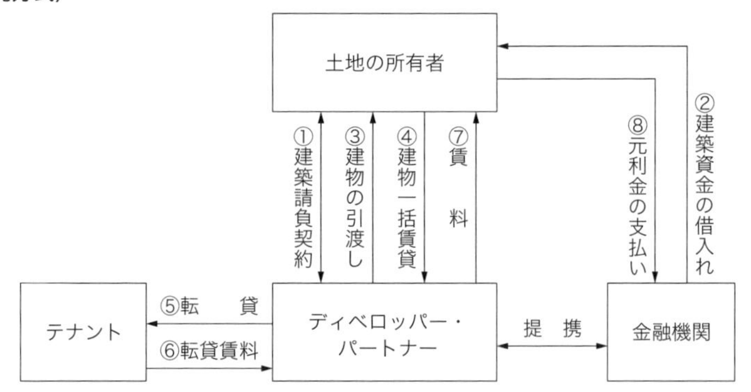

2 事業受託方式の特徴

(1)　土地を手放さないで土地の有効活用ができる。

(2)　一連の事務処理はディベロッパーが行うので、手間や煩わしさがない。

(3)　ディベロッパーが持っているビル経営などのノウハウを利用できる。

(4)　ディベロッパーが賃借人として建物を一括して借り受けるなどの収益保証が当初からシステム化されている場合は、空室のリスクがなく、確実な収入が期待できる。ただし、ディベロッパーの借受賃料は、エンドユーザーへの転貸賃料の80～90％となる。

建設協力金方式

1 建設協力金方式の仕組み

建設協力金方式とは、事業パートナーであるテナントが建設協力金を土地所有者に差し入れ、土地所有者は建設協力金により建物を建築し、建物が完成すると、事業パートナーが賃借人として入居するというものである。多くの場合、建設協力金を敷金や保証金に転換する。

〈建設協力金方式〉

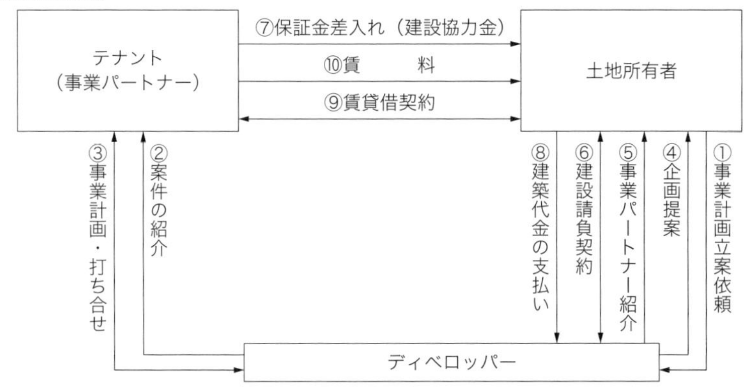

2 建設協力金方式の特徴

⑴　建物建設などの事業資金は事業パートナーが負担するので、原則として土地所有者は資金が要らず、借入金は不要である。

⑵　土地所有者自らが建物を建築し賃貸するため、返還義務のある建設協力金は債務控除することができ、また、貸家および貸家建付地による評価減も適用できるなど、相続対策として有効である。

⑶　テナントの指示するデザイン・仕様の建物を建築することになり、賃貸期間中の退出などが発生すると、転用が難しい場合がある。

等価交換方式

1 等価交換方式の概要

土地所有者の土地にディベロッパーが建物を建て、完成後の土地・建物を土地所有者とディベロッパーが分け合うという一種の共同事業である。

土地所有者とディベロッパーの配分方法は、一般的にはそれぞれが負担した土地代と建築費の割合による（**原価積上げ方式**）と説明されるが、現実には、ディベロッパーが事業遂行上必要な土地・建物を先取りし、残りを土地所有者に還元する（**市場性比較方式**）という方法が取られる。

土地の譲渡の範囲によって、全部譲渡方式と部分譲渡方式とに分けられる。

⑴ 部分譲渡方式

土地所有者が、土地の一部をディベロッパーに譲り渡し、その等価の建物の一部（区分所有権）を取得する方式である。

〈部分譲渡方式〉

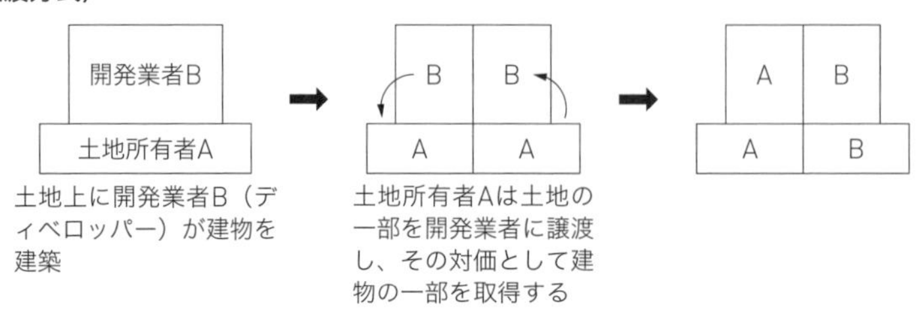

(2) 全部譲渡方式

土地所有者が、土地の全部をいったんディベロッパーに譲渡し、建物完成後あらためて土地代相当の区分所有建物およびその敷地（共有持分）を取得する方式である。

〈全部譲渡方式〉

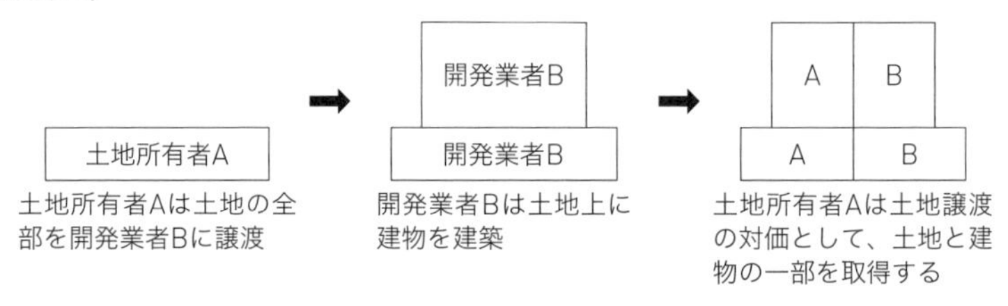

2 等価交換方式の特徴

(1)　土地の一部を売却したことに対する譲渡益の課税については、一定の買換え制度の要件に該当する限り、その大部分が繰り延べられる。

(2)　建物建設などの事業資金はディベロッパーなどが負担するため、土地所有者は資金が要らず、借入金は不要である。ただし、この方式で取得する建物の取得価格は以前持っていた土地の取得価格を引き継ぐため、償却メリットは小さい。

(3)　建物の完成から引渡しまでの一連の業務はディベロッパーが行うため、土地所有者の手間がかからない。また、ディベロッパーから引渡しを受けた後の建物の管理・運営は、通常ディベロッパーに委託できるため、土地所有者には特別のノウハウは必要ない。

(4)　一部現金授受を伴う等価交換も可能であるため、抵当権抹消のための借入金の一括返済、借家人の立退料なども事前に準備できる。

3 等価交換方式の税務

(1) 所得税

①　買換え（交換）の特例を適用して、譲渡益に対する課税が一定の範囲で繰

り延べられる。

② 課税が繰り延べられた部分の取得費は、譲渡資産の取得費を引き継ぎ、建物の減価償却費の計算は、その譲渡資産の取得費を基礎とするため、譲渡資産の取得費が安い場合は、多額の不動産所得が発生する。

⑵ 相続税

賃貸部分については**貸家建付地**や**貸家等**の評価になる。また、要件に該当していれば**小規模宅地等の特例**を適用できる。

定期借地権方式

1 定期借地権方式の特徴

⑴ 借地権設定者（地主）

① 一定期間土地を貸すだけであるため、事業資金の負担は発生しない。
② 建築、管理などの業務がなく、事業リスクは低くなる。
③ 保証金などの一時的な収入のほか、地代の安定収入が得られる。
④ 固定資産税、都市計画税を費用化できる。

⑵ 借地権者（購入者）

① 完全所有権物件よりも安く購入できる。
② 住宅ローンが組める。
③ 住宅ローン控除を受けられる。
④ 相続できる。

第2章

設例［Part I］

設例から相談者が悩んでいることは何かを理解しましょう。事業承継ならば後継者で悩んでいるのか、株式の贈与に悩んでいるのかなど、悩んでいる内容を読み取れれば、それに対する方策もわかります。設例をやみくもに読むのではなく、問題意識を持ちながら読む練習をすることが効果的な学習につながります。なお、本章で解説する提案例は、あくまで一例にすぎません。最終的には自分なりの提案ができるようにしましょう。

[Part I] ｜第 1 問｜2024年 2 月18日

設 例

2024年11月、Ａさん（70歳）家族と同居していた母Ｂさんが病気により死亡した。母Ｂさんの法定相続人は、Ａさん、妹Ｃさん（67歳）、弟Ｄさん（65歳）の３人である。Ａさんは、四十九日法要を無事に終え、そろそろ相続手続に着手しようと自宅で遺品を整理していたところ、書棚の奥から母Ｂさんが20年前に作成した自筆証書遺言を発見した。

Ａさんは、妹Ｃさんと弟Ｄさんに遺言書が出てきたことを伝えるとともに、遺言書を家庭裁判所に提出して、検認の申立てを行った。後日、Ａさんたちは、通知された検認期日に家庭裁判所に集まり、裁判官による遺言書の開封に立ち会ったところ、その遺言の内容は意外なものであった。

【母Bさんの相続財産の概要】（相続税評価額、土地は小規模宅地等の評価減適用前）

1. 預貯金	:	7,000万円
2. 米国国債	:	2,000万円
3. 自宅		
①土地（400㎡）	:	8,000万円
②建物（築35年）	:	500万円
4. 自用マンション		
①土地（持分換算35㎡）	:	1,000万円
②建物（築25年）	:	2,000万円
5. 賃貸アパート		
①土地（250㎡）	:	4,500万円
②建物（築22年）	:	2,000万円（年間家賃収入900万円）
合計	:	2億7,000万円

※自宅には、現在、Aさん家族が暮らしている。
※自用マンションには、現在、弟Dさん家族が暮らしている。

【母Bさんが作成した遺言書の内容】

- 自宅（土地建物）は長女Cに相続させる。
- 自用マンション（土地建物）は長男Aに相続させる。
- 賃貸アパート（土地建物）は売却し、その売却資金を長男A、長女C、二男Dに均等に相続させる。
- Eさんに預貯金のうち1,000万円を遺贈する。
- 残りの預貯金等は、長男Aと二男Dに均等に相続させる。

母Bさんが遺言書を作成した20年前、自宅では妹Cさんが母Bさんと同居し、Aさん家族は自用マンションで暮らしていた。また、Eさんは、母Bさんと長く親交のあった知人であるが、2年前に他界している。遺言書は、作成当時の状況を踏まえた分割内容になっており、その後、母Bさんは遺言書を作成したこと自体、忘れていたと思われる。

Aさんは、検認手続も完了しているため、遺言の内容どおりに分割しなければならないのか、変更が可能であるなら、どのような手続が必要になるのか、知りたいと思っている。また、今後、どのような手順で相続手続を進めていけばよいか、遺産分割の内容によって相続税額が増減することがあるのかについても教えてほしいと思っている。

（注）設例に関し、詳細な計算を行う必要はない。

検討のポイント

- 設例の顧客の相談内容および問題点として、どのようなことが考えられるか。
- それらの相談内容および問題点を解決するために、どのような提案・方策が考えられるか。
- それらの方策（解決策）のなかで、何を顧客に提案するか。その理由・留意点は何か。
- FPと職業倫理について、どのようなことが考えられるか。

【親族関係図】

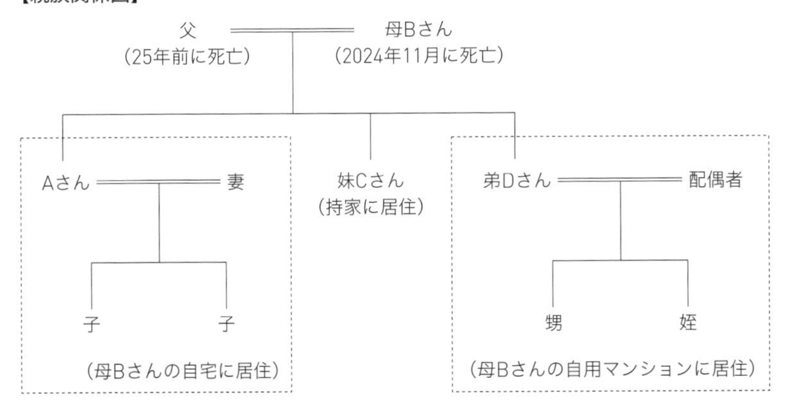

（メモ余白）

設例に対する検討と提案

受検者が検討すべき設例の顧客の相談内容および問題点

❶ Ａさんは検認手続も完了しているため、遺言の内容どおりに分割しなければならないのか、仮に変更が可能であるならば、どのような手続が必要になるのか。
❷ 相続手続として、どのような手順で行えば良いか。
❸ 遺産分割の内容によって相続税額が増減することがあるのか。
❹ 自筆証書遺言は法律上、有効なものであるかどうか。

相談内容および問題点を解決するための提案と方策

→❶に対する提案例

本件の場合、遺言書にＥさんが受遺者として記載されていますが、Ｅさんは既に亡くなっています。この点について、民法上、遺言者よりも先に受遺者が死亡した場合には、当該死亡した受遺者に与えるはずだった部分についてのみ遺言の効力は無効となります。

そのため、Ｅさんに1,000万円を贈与する遺贈は無効となり、当該1,000万円について、別途相続人全員で遺産分割協議をしなければなりません。

また、Ａさんは遺言の内容とは異なる遺産分割を希望されていますが、下記の条件を満たせば可能です。

- 遺産分割協議が遺言で禁止されていないこと
- 相続人と受遺者の全員が合意していること
- 遺言執行者が同意していること

したがって、上記の条件を満たし、遺言の内容と異なる遺産分割協議を行った場合は、遺産分割協議書にその旨を記載することで対応できます。

✔解 説

⑴　受遺者が先に死亡した場合の遺言の効力

民法994条第１項には、「遺贈は、遺言者の死亡以前に受遺者が死亡したときは、その効力を生じない」と規定している。

本設例のように遺言者である母Ｂさんより先に受遺者であるＥさんが死亡してしまった場合、Ｅさんに対する遺贈のみ無効となる。Ａさん、妹Ｃさんおよび弟Ｄさんに対する遺言は有効のままである。

そのため、無効となったＥさんに対する遺贈部分（預貯金1,000万円）は法定相続に戻る。Ｅさんに対する遺贈部分は、Ｅさんの相続人が相続するわけではない。

受遺者は一代限りとなり、代襲できない。

したがって、無効となった預貯金1,000万円については、法定相続に戻って、別途相続人全員で遺産分割協議をしなければならない。

⑵ 遺言と異なる遺産分割協議を行う条件

民法第907条第１項では遺産分割の協議または審判等について、以下のように規定している。

「共同相続人は、次条の規定により被相続人が遺言で禁じた場合を除き、いつでも、その協議で、遺産の全部又は一部の分割をすることができる。」

したがって、民法上、遺言書があっても遺産分割協議による相続ができるということになり、遺言書より遺産分割協議が優先される。

一方、相続の実務では遺言書の内容が遺産分割協議よりも優先される。

最高裁判所の判例において、特定の相続人に特定の財産を「相続させる」ことが記載されている遺言書がある場合は、遺産分割協議の余地なく遺言書が優先される。

ただし、次の条件を満たしている場合については、遺言書があったとしても遺産分割協議により遺言と異なる遺産分割を行うことができる。

①遺産分割協議が遺言で禁止されていないこと

遺言書で遺産分割協議が禁止されると、上記の民法907条に従い、遺産分割協議を行うことはできない。

②相続人と受遺者の全員が合意していること

相続人や相続人以外の受遺者の全員が遺言の内容に納得しておらず、遺言書とは異なる遺産分割方法に合意した場合については、遺産分割協議による相続が認められる。

③遺言執行者が同意していること

遺言書で相続人以外の人を遺言執行者に指定している場合、遺言執行者の同意が必要となる。

【要点ポイントPartⅠ】遺産の分割

➔❷に対する提案例

すでに遺言書の検認を行っていますので、今後、相続手続としては期限の早いものから順に、相続の放棄等、準確定申告、相続税申告、相続登記となります。

本件では必要ないと思われますが、相続人が相続の放棄または限定承認をする場合は、相続開始があったことを知った時から、原則として３ヵ月以内に家庭裁判所に申述する必要があります。

次に、母Ｂさんに不動産所得があることから、相続開始があったことを知った日の翌日から４ヵ月以内に準確定申告が必要です。
　続いて、相続開始があったことを知った日の翌日から10ヵ月以内に相続税の申告書を提出しなければなりません。相続税の申告をするためには、原則として遺産分割協議がまとまっている必要があります。
　したがって、今後、必要な手続は準確定申告、遺産分割協議および相続税の申告です。
　なお、2024年４月１日から不動産（土地・建物）の相続登記が義務化されました。不動産を相続で取得したことを知った日から３年以内に相続登記しなければなりませんので、注意してください。

✔解 説

⑴　準確定申告・青色申告

　確定申告をしなければならない人が死亡した場合は、その年の１月１日から死亡の日までの所得金額について、その相続の開始があったことを知った日の翌日から４ヵ月以内に、相続人が死亡した人に代わって確定申告をしなければならない。申告書の提出先は死亡した人の納税地（通常は住所地）の所轄税務署である。
　なお、被相続人の業務を相続人が承継する場合には、新規に業務を開始したことになり、相続人が青色申告をしようとする場合には、青色申告承認申請書を提出しなければならない。この場合の申請期限は、被相続人が青色申告者で死亡が１月１日から８月31日までの場合は４ヵ月以内、死亡が９月１日から10月31日までの場合は12月31日まで、死亡が11月１日から12月31日までの場合は翌年２月15日までとなる。被相続人が白色申告者であった場合には、申請期限は原則どおりとなる。

⑵　遺産分割協議書

　遺産分割協議書を作成する場合、特に定められた形式はないが、相続人全員の署名・捺印を必要とする。通常は、相続人全員が一堂に会して協議し、合意結果を協議書にまとめるが、あらかじめ１人の相続人が協議書を作成し、他の相続人が順次これに署名・捺印して作成する方法でもかまわない。相続登記を行う場合は、遺産分割協議書に各相続人の実印を捺印したうえ、全員の印鑑証明書を添付しなければならない。遺産分割協議書に全員が異議なく署名・捺印すると遺産分割協議は完全に終了したことになり、協議分割の内容に不服が生じても調停や審判による分割を請求することはできない。ただし、ある相続人について、錯誤や、第三者の強迫、他の共同相続人の詐欺等によって、遺産分割の合意をしたなどの事情がある場合は、その相続人は遺産分割協議を無効または取り消すことができる。また、相続人全員が遺産分割協議を合意により解除し、改めて遺産分割協議を行うことは認められる。

(3) 相続税の申告手続

① 相続税の申告が必要なケース

申告期限は、相続開始があったことを知った日の翌日から10ヵ月以内である。

相続税は、相続税の課税価格が遺産に係る基礎控除額を超える場合で、配偶者の税額軽減の規定を適用せずに計算して納付すべき税額があるときは、相続税の申告義務がある。

② 申告によって課税されないケース

小規模宅地等の評価減の特例を適用したことにより、課税価格の合計額が遺産に係る基礎控除額以下となる場合や、相続税が発生するが配偶者に対する相続税額の軽減により相続税の納付義務がなくなる場合などは、相続税額がゼロであっても申告が必要である。申告によって課税されないためには、前提条件として、申告書の提出までに遺産分割を終了していることが必要となる。

③ 相続税の申告が不要なケース

生命保険金や退職手当金の非課税は、申告することが要件となっていないため、これら非課税財産を控除することにより、課税価格の合計額が遺産に係る基礎控除額以下となる場合は、相続税の申告をする必要はない。

また、相続時精算課税制度の選択を行った場合に、その贈与者の死亡時には、相続時精算課税制度を適用して贈与を受けた財産を相続財産に加算するが、その結果、遺産に係る基礎控除額以下となる場合も相続税の申告をする必要はない。

④ 相続財産が未分割の場合の相続税の申告および納付

相続財産が未分割の場合、原則として、共同相続人が民法に規定する相続分に従って相続財産を取得したものとして計算した相続税を、申告期限までに納付しなければならない。なお、申告期限までに「申告期限後3年以内の分割見込書」を納税地の所轄税務署長に提出することにより、分割後に修正申告または更正の請求をすることで小規模宅地等の評価減の特例や、配偶者に対する相続税額の軽減の適用を受けることができる。

未分割の相続財産に基づく相続税を申告期限内に納付後、成立した遺産分割協議に従って計算した共同相続人が納付すべき相続税額は、共同相続人ごとに修正申告または更正の請求をしなければならない。相続税の納付税額がすでに納付した相続税額よりも減少した相続人が、その差額の還付を受けようとする場合、原則として遺産分割協議が成立した日の翌日から4ヵ月以内に納税地の所轄税務署長に更正の請求をする必要がある。また、相続税の納付税額がすでに納付した相続税額よりも増加した相続人が、修正申告書を納税地の所轄税務署長に提出してその差額を納付する場合、原則として、延滞税や過少申告加算税は課されない。

⑷ 不動産の相続登記

2024年4月1日から不動産（土地・建物）の相続登記が義務化されている。相続人は、不動産を相続で取得したことを知った日から3年以内に相続登記をしなければならない。

正当な理由がないのに相続登記をしない場合、10万円以下の過料が課される可能性がある。遺産分割で不動産を取得した場合も、別途、遺産分割から3年以内に、遺産分割の内容に応じた登記をする必要がある。

なお、2024年4月1日より前に相続した不動産で、相続登記がされていないものについては、2027年3月31日までに相続登記をする必要がある。

①不動産を相続したことを知っている場合（遺言なし）

相続人の間で遺産分割がまとまっていれば、遺産分割の結果に基づく相続登記を行う。一方、当分の間、遺産分割を行う予定はない、または、遺産分割がまとまりそうにない場合、不動産の相続を知った日から3年以内に各相続人が単独で相続人申告登記を申し出る必要がある。その後、遺産分割がまとまった場合、遺産分割の日から3年以内に遺産分割の結果に基づく相続登記を行う。

②遺言により不動産を取得したことを知っている場合

遺言により不動産を取得したことを知った日から3年以内に遺言の内容に基づく所有権移転登記を行う。

なお、所有不動産記録証明制度が2026年2月2日に施行される。当該制度は、相続登記が必要な不動産を容易に把握することができるよう、登記官において、特定の被相続人が登記簿上の所有者として記録されている不動産を一覧的にリスト化し、証明するものである。

この制度により、相続が発生した際に、相続人が被相続人の所有する不動産の全容を把握しやすくなると期待される。

→❸に対する提案例

相続が発生した後の相続税額を抑えるためには小規模宅地等の評価減の特例をどのように適用するかが大事です。

小規模宅地等の特例のうち特定居住用宅地等を適用するためには、被相続人が亡くなった時の利用状況要件、取得者要件、申告期限までの継続要件を満たす必要があります。

母Bさんの自宅については、同居親族であるAさんが居住および所有を継続することで要件を満たします。しかし、遺言どおり妹Cさんに相続させても、母Bさんは法定相続人であるAさんと同居していたため、いわゆる「家なき子」に該当せず、取得者要件を満たしません。

また、母Bさんの自用マンションについては、弟Dさんと生計を一にしていないため、利用状況要件を満たしません。

さらに、賃貸アパートについては、貸付事業用宅地等に該当するため、申告期限まで事業継続および保有継続が要件です。

したがって、母Bさんの自宅をAさんが相続すれば、小規模宅地等の特例が適用でき、330㎡まで評価額を80%減額することができます。なお、賃貸アパートについても200㎡まで評価額を50%減額することができますが、貸付事業用宅地等と他の宅地を併用する場合には一定の計算式による制限があるため、本件の場合、自宅のみに小規模宅地等の特例を適用した方が税務上、有利です。

このように相続税額は誰が相続するかによって増減しますが、一番大事なことは相続人間で納得した形で円満に遺産分割することですので、相続税額を参考にしながら話し合ってください。

✔解 説

小規模宅地等の特例を適用する際、特例の対象となる宅地等のすべてが、ⓐ特定事業用宅地等と特定同族会社事業用宅地等および、ⓑ特定居住用宅地等である場合には、適用面積の調整は必要なく、それぞれの適用対象面積（ⓐ400㎡＋ⓑ330㎡＝730㎡）まで完全併用が可能となる。

ただし、貸付事業用宅地等を選択する場合には、完全併用することはできず、適用面積の調整が必要となる。

そのため、小規模宅地等の特例を適用する際に、どの土地に適用すれば、評価減の効果が大きくなるのかシミュレーションしたうえで、実際の土地利用のあり方を検討するとよい。

【要点ポイントPart 1】小規模宅地等の特例

➔❹に対する提案例

家庭裁判所の検認は、相続人に対し遺言の存在およびその内容を知らせるとともに、遺言書の形状、加除訂正の状態、日付、署名など検認の日現在における遺言書の内容を明確にして、遺言書の偽造・変造を防止するための手続です。遺言の有効・無効を判断する手続ではありません。

自筆証書遺言が有効であるためには民法968条の要件を満たす必要があります。具体的には、遺言書の全文（財産目録を除く）、遺言の作成日付および遺言者氏名を、必ず遺言者が自書し、押印します。

また、当該自筆証書遺言以外にも遺言があり、内容が矛盾している場合には、作成された日付が古い遺言書は矛盾部分につき撤回されたものとみなされます。

そのため、法務局に対して自筆証書遺言を保管していないか確認するとともに、公証役場に遺言検索を依頼して、他に遺言書を作成していないか確認する必要があります。

✔解 説

設例では、Ａさんが四十九日後、遺品整理をした際に、自宅から自筆証書遺言を発見している。このように自筆証書遺言は被相続人以外、その存在自体を知らないことも多く、自宅に保管している場合、遺品整理で発見されなければ、その遺言の内容は実行されない。

そこで、法務局に自筆証書遺言を保管する制度の活用が望まれる。ただし、自筆証書遺言保管制度を活用しても、相続発生後、相続人に対して「自動的に」自筆証書遺言の存在の通知が行われるわけではないので、注意が必要である。

遺言書保管所から、遺言書を保管していることの通知は①関係遺言書保管通知と②遺言者が指定した方への通知の２つに限られる。

①関係遺言書保管通知

遺言書保管所に保管されている遺言書について、遺言者死亡後、関係相続人等が遺言書の閲覧や、遺言書情報証明書の交付を受けたとき、その他全ての関係相続人等に対して、遺言書保管官が、遺言書が遺言書保管所に保管されていることを通知する。

この通知を行うための特段の手続は不要である。

②遺言者が指定した者への通知（指定者通知）

戸籍担当部局と連携して遺言書保管官が遺言者の死亡の事実を確認した場合に、あらかじめ遺言者が指定した者（３名まで）に対して、遺言書が保管されている旨を通知する。

この通知を行うためには、遺言書の保管の申請時に、同意事項に同意し、指定者通知の対象者を指定する手続を行う必要がある。

このように自筆証書遺言保管制度を活用する場合、指定者通知の手続も行うことによって、相続人に自筆証書遺言の存在を伝えることができる。

なお、当該通知は遺言者が届け出た通知対象者の住所宛てに書面を郵送することで通知が行われる。そのため、通知対象者が転居した場合、その転居先の住所の変更届を行っていないと、結局、通知は届かなくなるので注意が必要である。

また、公正証書遺言を作成した場合であっても、相続発生後、公証役場から相続人に対して、公正証書遺言の通知が行われることもない。

したがって、相続発生後、被相続人が遺言書を作成していたかどうか不明な場合、法務局に対して遺言書保管事実の有無の確認を行い、かつ、公証役場に遺言検索を依頼して最新の遺言書がないか確認することが必要である。

【要点ポイントPart１】遺言

FPと職業倫理

ファイナンシャル・プランナーの職業倫理として、以下の5つが重要である。

①顧客利益の優先

ファイナンシャル・プランナー（以下、「FP」という）は、顧客の利益を優先し、FP自身やFPの関わりのある企業の利益を優先してはならない。顧客に提案するプランは、当然、顧客の財産に関わるものなので、そのプランを実行するか否かを判断するのはあくまでも顧客であることを忘れてはならない。そのため、FPの提案したプランと顧客の希望が合致しなかった場合、そのプランを無理に通すのではなく、顧客の利益に合致するか十分に顧客と話し合い、それでも受け入れられない場合は潔く撤回すべきである。

②守秘義務の遵守

FPは職務上知り得た顧客情報を顧客の同意なく第三者に漏洩してはならない。FPは顧客の収入、支出、資産、負債などお金に関する情報に加え、家庭事情など多くの個人情報を入手する。このような顧客の情報は他人に知られたくないものである。FPの業務は顧客との信頼関係の上に成立しているため、顧客情報を預かる以上、FPは専門家として、顧客情報の守秘義務には特に留意しなければならない。もし、顧客の情報が漏洩すれば、内容によっては刑事罰まであり得る。何よりも顧客からの信頼が失墜することに十分留意すべきである。

③顧客に対する説明義務

FP業務の遂行にあたって提案を行う際は、顧客が適切な情報に基づいて意思決定できるよう、十分に説明する義務を負う。例えば、金融・不動産各種商品の性質、税金、各種法令について、顧客の十分な理解を得る必要がある。金融機関等に所属する企業内FPはもちろんのこと、独立系FPも金融商品等の販売仲介に関与する場合は、金融商品取引法や金融サービス提供法および消費者契約法に規定された説明義務が課される。これらの法律の趣旨・目的を十分理解し、重要事項等を適切に顧客に説明することが重要である。

④インフォームド・コンセント

インフォームド・コンセントとは、正しい情報が十分に伝えられたうえで、顧客が同意することである。FPがプランニングを進めるにあたっては、現状のとらえ方や前提条件等を顧客の立場で十分説明し、理解されたかどうかを確認しながら進めなければならない。通常、顧客はFPほど専門知識を有していないことから、常に情報の非対称性があることを意識しなければならない。FPに求められるインフォームド・コンセントとは、顧客とFPが情報を共有するということである。

⑤コンプライアンス（法令遵守）の徹底

FPは業務領域が広範囲にわたるため、さまざまな法令遵守を徹底する必要がある。例えば、前述の金融サービス提供法のほか、税理士法や弁護士法など関連業法にも注意が必要である。その他、金融商品取引法、銀行法等の業法や刑事法令等の一般法令を遵守すべきことは言うまでもない。法令違反の多くは無知や過失から生じるため、FP自身のリスクマネジメントとして、コンプライアンスの徹底が必要である。

これらの職業倫理はFPとして必ず意識していなければならない事項であることから、１級の実技試験においては必ずと言っていいほど質問されるだろう。いずれの職業倫理もFPが専門家として、顧客を含め社会から信頼されるために欠かせないものであるため、要点を押さえたうえで、なぜこうした職業倫理が必要なのか、自分の言葉で説明できるように備えておいてほしい。

MEMO

設例

Aさんは、専門工事業を営むX株式会社（非上場会社・取締役会設置会社）の代表取締役社長であったが、先月、病気により70歳で急逝した。地方都市に所在するX社は、Aさんが45年前に設立した会社である。バブル崩壊後は経営状況の厳しい時期もあったが、その後回復し、業績は堅調に推移している。X社の余剰資金は3億円以上あり、経営は安定している。

【事業承継について】

長男Cさん（42歳）は、1年前にX社の取締役に就任し、実質的に経営を担ってきた。その経営能力は高く、後継者としての資質に問題はない。X社の設立以来、Aさんを支えてきた取締役工事部長のEさん（68歳）も、次期社長として長男Cさんに太鼓判を押している。また、妻Bさん（68歳）は、長年、取締役として人事・総務の管理部門を担当し、Aさんを補佐してきたが、引き続き、取締役として長男Cさんをサポートしていきたいと考えている。

妻Bさんおよび長男Cさんは、Aさんの相続開始が突然であったため、早々に代表者を選任する必要があるが、その方法がわからない。また、AさんはX社株式の移転を進めておらず、自社株式の各種対策を行っていなかったため、X社株式をどのように承継（遺産分割）するべきか頭を悩ませている。

【資産承継について】

Aさんは遺言書を準備していなかった。妻Bさんが東京都内に暮らす公務員の二男Dさん（38歳）に意向を聞いたところ、二男Dさんから「親父が急死して、母さんや兄貴が大変なことは理解している。俺はX社の経営に関わるつもりはないし、不動産を欲しいとも思わない。ただ、息子として親父の財産の一部をもらう権利はあると思っている」と言われた。長男Cさんと二男Dさんの関係は良好であるものの、妻Bさんは、兄弟間で相続財産の偏りが生じることに一抹の不安を感じている。

また、Aさんは生前、2人の孫（14歳、10歳）に教育資金贈与信託を利用して教育資金を一括贈与していた。これについて、長男Cさんは、信託銀行の担当者から残余財産が相続財産に含まれる可能性があると聞き、その概要を確認したいと思っている。

【Aさんの相続財産の概要】（相続税評価額、土地は小規模宅地等の評価減適用前）

1. 現預金	：	1億円	
2. 死亡退職金	：	7,000万円	（妻Bさんに支給）
3. X社株式	：	4億円	
4. 自宅			
①土地（300㎡）	：	6,000万円	
②建物（築20年）	：	1,500万円	
5. X社本社土地（500㎡）	：	8,000万円	（注）
6. 月極駐車場（400㎡）	：	5,000万円	
合計	：	7億7,500万円	

※Aさんの相続に係る相続税額（7億7,500万円に基づいて計算）は、約2億4,500万円（配偶者の税額軽減・小規模宅地等の評価減適用前）と試算されている。

（注）X社は土地の無償返還に関する届出書をAさんと連名で税務署に提出し、Aさんに通常の地代を支払っている。

【X社の概要】

資本金：1,000万円　会社規模：大会社　従業員数：50人
完成工事高：22億円　経常利益：5,000万円　純資産：10億円　決算期：10月
株主構成（発行済株式総数10万株）：Aさん80%、妻Bさん10%、長男Cさん10%
株式の相続税評価額：類似業種比準価額5,000円／株、純資産価額7,000円／株

（注）設例に関し、詳細な計算を行う必要はない。

検討のポイント

- 設例の顧客の相談内容および問題点として、どのようなことが考えられるか。
- それらの相談内容および問題点を解決するために、どのような提案・方策が考えられるか。
- それらの方策（解決策）のなかで、何を顧客に提案するか。その理由・留意点は何か。
- FPと職業倫理について、どのようなことが考えられるか。

【Aさんの家族構成（法定相続人）】

妻Bさん　（68歳）：X社の取締役。長男Cさん家族と同居している。
長男Cさん（42歳）：X社の取締役。妻と子の3人で、母Bさんと同居している。
二男Dさん（38歳）：公務員。妻と子の3人で官舎に住んでいる。

【親族関係図】

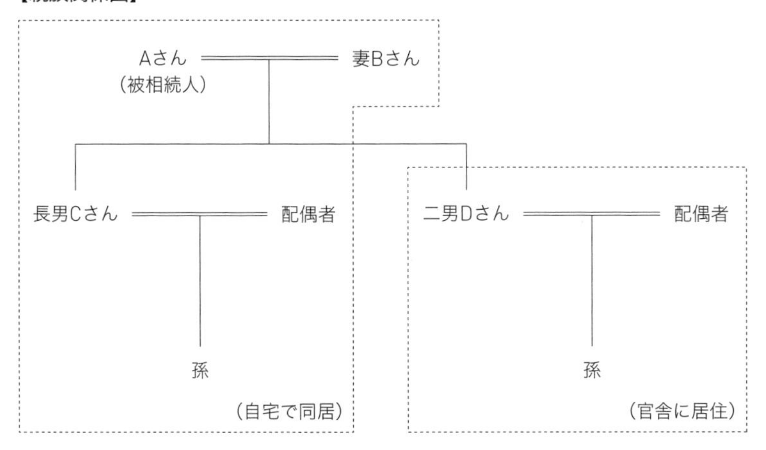

（メモ余白）

設例に対する検討と提案

受検者が検討すべき設例の顧客の相談内容および問題点

❶ 妻Bさんおよび長男Cさんは、Aさんの相続開始が突然であったため、早々に代表者を選任する必要があるが、その方法がわからない。
❷ X社株式をどのように承継（遺産分割）するべきかわからない。
❸ 相続税の納税資金をどのようにしたら確保できるかわからない。
❹ 相続財産の評価減として、どのような提案・方策が考えられるか。
❺ 長男Cさんと二男Dさんが相続で揉めないようにするにはどうしたらよいか。
❻ 教育資金贈与信託に残余財産があると相続財産に含まれるのか。

相談内容および問題点を解決するための提案と方策

→❶に対する提案例

X社は取締役会設置会社として、Aさん以外に、少なくとも妻Bさん、長男CさんおよびEさんの3名が取締役であることが確認できます。

そのため、取締役会決議により、後任の代表取締役を選任する必要があります。X社では長男Cさんが次期社長として妻BさんもEさんも了承しているため、円滑に取締役会決議を取ることができると考えられます。

取締役会決議で後任の代表取締役を選定後、役員死亡登記および役員変更登記を併せて行います。登記については司法書士に依頼したほうが確実です。

✓解 説

取締役会設置会社では、取締役は3名以上でなければならない（会社法331条5項）。設例では、代表取締役死亡後の取締役が少なくとも3名はいるため、問題にならない。仮に、残存取締役が2名となってしまった場合は、臨時株主総会を開いて取締役を3名以上になるよう追加選任したうえで、取締役会で代表取締役を選任する必要がある。

取締役会非設置会社では、定款、または定款の定めに基づく取締役の互選もしくは株主総会の決議によって取締役の中から選ぶ必要がある。

後任の代表取締役候補がいない場合、あるいは、株主総会を開催して遅滞なく取締役を選任できない場合、仮取締役の選任または仮代表取締役の選任を裁判所に請求できる。

→❷に対する提案例

長男CさんをX社の次期社長とするならば、議決権比率を少なくとも過半数、できれば３分の２以上確保する必要があります。そのため、長男Ｃさんの議決権比率が３分の２以上とすることを一つの目安として遺産分割協議を行いましょう。

なお、Ｘ社株式は自社株の各種対策を行っていなかったため高額になっており、相続税の負担から長男ＣさんにＡさんのＸ社株式すべてを相続することは難しいことも考えられます。その場合、配偶者の税額軽減の範囲内で妻ＢさんにＸ社株式を相続させると、相続税負担はありません。そして、妻Ｂさんの相続が発生するまでの間に、自社株の各種対策を行うことで妻Ｂさんから長男Ｃさんへの株式の承継を円滑に行い、税負担を軽減することができます。

ただし、妻ＢさんがＸ社株式を多く保有するため、長男Ｃさんは議決権比率が３分の２に満たなくなるかもしれません。そこで、妻ＢさんのＸ社株式を無議決権株式にする、拒否権付株式（黄金株）を発行して長男Ｃさんが保有する、家族信託（民事信託）を設定し、ＢさんのＸ社株式の議決権行使を長男Ｃさんが受託するなどの方策により、長男Ｃさんが実質的に経営権を行使できる体制を整えることを提案します。

✔解 説

中小企業の事業承継において議決権比率は重要である。後継者に100％の議決権を確保することが理想となるが、後継者に議決権を集約させるうえで、２つの目安がある。

１つは過半数、もう１つは３分の２以上である。

後継者が過半数の議決権を確保すれば、株主総会の普通決議を単独で通すことができる。

一方、後継者が３分の２以上の議決権を確保すれば、株主総会の特別決議も単独で通すことができる。

したがって、事業承継を行う際には後継者単独で３分の２以上の議決権を一つの目標とし、３分の２以上の確保が難しければ、単独過半数かつ他の安定株主との合算で３分の２以上の議決権を確保することが望ましい。

〈種類株式〉

事業承継に活用できる主な種類株式として、議決権制限株式と拒否権付株式（黄金株）の２つがある。

議決権制限株式は議決権がまったくない無議決権株式と、一部の事項につき議決権を持たない議決権制限株式がある。一般的に議決権制限株式と配当優先株式をセットにすることで、議決権を制限される不利益を配当優先でカバーすることが多い。

拒否権付株式は株主総会において決議すべき事項について、株主総会決議のほかに種類株主を構成員とする種類株主総会の決議を必要とする。拒否権付株式を保有している株主が経営上の最終的な決定権を有しているため、黄金株とも呼ばれる。

〈家族信託の概要〉

⑴　信託の基本的な仕組み

信託には、委託者・受託者・受益者という、３人の当事者が登場する。

- 委託者…財産を託す人
- 受託者…財産を託される人
- 受益者…託された財産から生じた成果の給付を受ける人

３人の当事者がすべて別人とは限らず、委託者と受益者が同一になることもあり、このような信託のことを、「自益信託」と呼ぶ。つまり、自分の財産を受託者に対して、その財産から生じた成果については、委託者自らが給付を受けるというものである。

これに対して、委託者と受益者が異なる信託のことを「他益信託」という。

また、委託者と受託者が同一となる信託も可能であり、これを「自己信託」という。

その他の信託の基本的な用語は次のとおりである。

- 信託財産とは、信託の対象となる託される財産をいう
- 信託目的とは、財産を託す目的をいい、財産を託された受託者は、この信託目的を達成するために必要な財産の管理、処分、その他の行為を行う
- 受益権とは、信託財産から生じた成果の給付を受ける権利と監督権をいう
- 信託行為とは、財産を託すときの取り決めを指し、その取り決めをする方法には、「信託契約」、「遺言」、「公正証書等」の３つがある

⑵　家族信託（民事信託）とは

信託銀行などの信託会社が行う信託業務は商事信託と呼ばれる。これは信託報酬を得るために業として信託財産を運用するものである。

一方、家族信託（民事信託）は受託者が報酬を受け取るためではなく、あくまで非営利として委託者の意思を実現するために行われる契約等である。運用よりも財産の管理や承継に重点がある。

家族信託は親子間や家族間で行われることが多く、高齢者や障害者の財産管理のための信託、父親の死後、受益権を母親、子と連続して与える信託といった、財産管理や財産の承継を目的としたものがその典型といえる。

⑶　信託における税務上の基本的な考え方

税務上は、基本的に受益者が財産の所有者になる。

信託を設定すると、財産の経済的な所有者と、財産の管理者とが分断されることになる。財産の経済的な所有者というのは、受益者のことで、財産の管理者というのは、受託者のことである。信託により信託財産の名義は、委託者から受託者に変わり、法律上、受託者が財産の所有者になるが、その実態は、単に財産を預かって管理をしているだけであり、経済的には、受益者が実質的な所有者ということになる。

税法には、「実質課税の原則」という考え方があるため、基本的には受益者に信託財産が帰属する、あるいは、帰属しているものとして課税をすることになっている。したがって、信託を設定すると、税法上は、原則として、委託者から受益者へ財産の移転があったものとみなして課税をすることになる。そして、信託財産から生じた収益については、受益者に帰属するものとして取り扱う。

「信託契約」を結んで信託を設定した場合には、基本的には、委託者から受益者に財産の贈与があったものとして、贈与税が課されることになる。また「遺言」により信託の効力が発生した場合には、委託者から受益者に財産の遺贈があったものとして、相続税が課される。同様の考え方により、受益者の移転があった場合には、その受益者間で信託財産の移転があったものとして取り扱う。

たとえば、受益者である父の死亡により、その受益権を子が相続により取得した場合は、子に相続税が課される。この場合の財産の評価は、受益権を相続したとしても信託を利用しなかった場合と同額で評価されることとなっている（信託財産をそのまま評価）。前述のとおり、税法上は受益権が信託財産の実質的な経済的価値を持つ財産とみなされるので、信託の場合でも相続税評価額は変わらない。また、土地を信託して受益権を相続する場合においても、要件を満たせば小規模宅地等の評価減の適用を受けることも可能である。

⑷　生前贈与の代用として信託を活用する

財産そのものを贈与するのではなく、受益者を子とする信託を設定することで、生前贈与の代用として信託が活用できる。

実務的には、いざ子に財産を贈与するとなると、次のような問題が生じる。

- 子の年齢からして財産管理能力に問題があるのではないか
- 多額の財産を持つことは教育上よくないのではないか
- 多額の財産を持つことによりモチベーションが下がるのではないか
- もらった財産を浪費してしまうのではないか
- 子の配偶者に対する不信感がぬぐえない、あるいは子が将来どのような配偶者と結ばれるかが未定
- いったん財産を贈与してしまうと、その後、親の面倒を見てくれなくなるので

はないか

• 事業の後継者がまだ確定していない

これらの不安や問題点があることから、なかなか実行に踏みきれない相談者が散見される。

信託を使えば、財産の経済的な所有者（受益者）と管理者（受託者）とを分断することができる。税務上は、原則として、受益者＝財産の所有者として取り扱われることになるため、財産そのものを子に贈与するのではなく、その財産に子を受益者とした信託を設定することで生前贈与のデメリットを補うことができる。

具体的な例として、自らが出資をして社長を務める「管理会社」を設立し、これを受託者とする。この「管理会社」が信託財産の法律上の所有者となり、信託財産の管理や運用はこの「管理会社」が行うことになる。これにより、先ほどのような問題点の多くは解消されることになる。一方、子としては、信託財産の運用により生じた成果を享受することができる。また、税務上は、基本的に信託の設定時に委託者である親から受益者である子に、財産の贈与があったものとして取り扱われることから、財産を生前贈与したのと同様の効果が得られる。さらに、「親が死亡したときに信託は終了し、信託財産は子に帰属する」という取り決めをしておけば、相続の発生と同時に信託財産の所有者は名実ともに子になる。

⑸ 財産管理に信託を活用する

信託を活用することにより、生前のうちに財産の管理を子に託すことができる。

たとえば、「年をとったので財産を管理するのが面倒になってきた。」一方で、「子が成長して財産の管理を任せられるようになった。しかし、これからの生活のことを考えると手元に財産を残しておきたい。」というような場合には、子を受託者、親を受益者とする自益信託を設定することで、問題を解決することができる。

自益信託の設定時においては、実質的な財産の移動はないため（税務上は受益者である親が所有者とみなす）、贈与税等の課税関係は生じないが、親が死亡したときに相続税が課税されることになる。

⑹ 遺言代用信託を活用する

「遺言代用信託」は、委託者が死亡したら他の者が受益権を取得すると決めておくものである（遺言と同様の効果をもたらすのでこう呼ぶ）。

具体的には、まず特定の子に相続させたい財産について、生前のうちに自らを受益者とする自益信託を設定する。そして、自分が死亡したときには、特定の子がその受益権を取得する旨の取り決めをしておくことで、遺言の代用となる。

よく似た言葉に「遺言信託」があるが、遺言信託は遺言のなかで信託の内容を決めておくものである。

遺言信託は、⑴信託の基本的な仕組みでも触れたように、信託行為の「信託契約」、「遺言」、「公正証書等」の３つのうちの１つである。信託は契約だけでなく、遺言形式でも有効であることを意味する。

なお、遺言信託には広く使われているもう１つのまったく別の意味の用語例があることに注意を要する。それは、信託銀行等が行う遺言の作成からその管理と執行までの業務を「遺言信託」と呼んでいることである。

➔❸に対する提案例

Ａさんの相続税額は約２億4,500万円と試算されています。一方、Ａさんの相続財産のうち、納税資金として充当できるのは現預金と死亡退職金の計１億7,000万円ですので、現状のままですと納税資金は不足する可能性があります。

そこで金庫株を活用して納税資金を確保します。ただし、Ｘ社の分配可能額の範囲内までしか会社法上を買い取ることはできません。Ｘ社は余剰資金が３億円以上ありますので、分配可能額を確認のうえ、約7,500万円以上を買い取ることができれば、納税資金を確保できます。

✔解 説

金庫株を活用することにより相続財産を換金して、納税資金に充当することができる。ただし、分配可能額以上の自社株式の買取りは会社法上できず、分配可能額以下であっても余剰資金以上の自社株式の買取りは事業継続を不安定にさせてしまうため、注意が必要である。

【要点ポイントPartⅠ】金庫株制度

➔❹に対する提案例

二次相続を見据えて相続財産の評価減を検討する必要があります。配偶者の税額軽減を活用する場合、妻Ｂさんが相続する不動産に小規模宅地等の特例を活用しても意味がないので、長男Ｃさんが相続する不動産に小規模宅地等の特例を活用することを提案します。

具体的には、Ａさんの相続発生時に長男ＣさんはＸ社本社土地の100㎡を相続し、自宅の土地300㎡およびＸ社本社土地400㎡を妻Ｂさんが相続します。

Ｘ社本社土地は、１回の相続では小規模宅地等の特例の適用面積は400㎡までです。そこで、長男ＣさんはＡさんの相続時に100㎡、妻Ｂさんの相続時に残りの400㎡を適用すれば、小規模宅地等の特例の効果をより大きくできます。

それにより、妻Ｂさんの相続時に長男Ｃさんは自宅の土地300㎡およびＸ社本社土地400㎡のすべてに対して、小規模宅地等の特例を活用できます。

なお、妻Ｂさんの相続時にも小規模宅地等の特例の要件を満たしておく必要がありますので、注意してください。

✔解 説

相続財産のうち、小規模宅地等の評価減の対象となる宅地が複数ある場合、特例の対象として選択する宅地等のすべてが(1)特定事業用宅地等および(2)特定居住用宅地等であれば、適用対象面積の調整は必要なく、それぞれの適用対象面積（400㎡および330㎡の合計730㎡）まで完全併用できる。

ただし、(3)貸付事業用宅地等は完全併用できず、以下の算式により調整を行う。

$$(1)\text{の面積} \times \frac{200}{400} + (2)\text{の面積} \times \frac{200}{330} + (3)\text{の面積} \leqq 200\text{㎡}$$

設例の場合、月極駐車場が貸付事業用宅地等に該当するため、適用限度まで小規模宅地等の特例を活用することもできる。しかし、後述するように当該月極駐車場は代償分割の対象として売却することも考えられるため、提案例において月極駐車場に小規模宅地等の特例を適用していない。

【要点ポイントPart I】小規模宅地等の特例

➜❺に対する提案例

二男Dさんは X 社の経営に関わるつもりはないものの、X 社株式を３分の１未満まで相続してもらいます。ただし、当該株式を無議決権優先配当株式に変更することで、経営に関わらずに財産を承継することができます。

あるいは、二男Dさんに X 社株式相続後、分配可能額の範囲内で会社が買い取ることもできます。この場合、みなし配当課税の特例および取得費加算の特例が活用できます。

この X 社株式の相続のみで二男Dさんの遺留分を超えていれば、遺留分は侵害しないので、相続に伴う争いは起きにくくなります。

もし、X 社株式の相続のみでは遺留分を侵害してしまう場合、二男Dさんは不動産も承継したくないので、事業に関係のない月極駐車場を売却して、代償分割することも検討します。

✔解 説

遺留分を侵害しなかったからといって、相続に伴う争いが起きないわけではない。法定相続分まで相続できないと遺産分割協議がまとまらないこともある。

また、X 社の経営に関わるつもりがなく、不動産も不要である二男Dさんに対して、現預金を相続させることができれば、希望に沿う形となる。しかし、妻Bさんや長男Cさんが相続するのは換金の難しいものとなるので、納税資金の確保ができなくなる。

そこで、相続財産の半分以上が非上場株式であることを考慮し、相続の際には二男Dさんに一定数の普通株式を相続してもらい、無議決権の配当優先株式に変更する。

具体的には、株主総会の特別決議により定款を変更し、会社と種類株式に変更する株式を保有する株主である二男Ｄさんと合意をとる。他の株主の全員の同意を得たうえで、法務局に登記の申請を行うことで、普通株式を種類株式に変更できる。

このような手続を行うことにより、二男Ｄさんは経営に関わらずに財産を相続することができる。

〈相続税の取得費加算〉

相続または遺贈により取得した資産を、相続が開始された日から３年10ヵ月以内に売却した場合、その資産の本来の取得費に、その者に課税された相続税額のうち、売却した資産に対応する部分の金額として以下により計算した金額を加算することができる。

取得費に加算する相続税額

$$=\text{その者の相続税額}\times\frac{\text{売却資産の相続税の課税価格}}{\text{その者の相続税の課税価格（債務控除前）}}$$

【要点ポイントPart Ⅰ】相続財産に係る非上場株式をその発行会社に譲渡した場合のみなし配当課税の特例

【要点ポイントPart Ⅰ】遺留分

【要点ポイントPart Ⅰ】遺産の分割 3 分割の方法

➔❻に対する提案例

教育資金贈与信託に残額がある場合、原則として、相続財産に含まれます。しかし、受贈者であるお孫さんが23歳未満ですので、相続財産には含まれません。

ただし、教育資金贈与信託を2023年４月１日以降に契約した場合は、相続税の課税価格の合計額が５億円を超えているため、相続財産に含まれます。また、その場合お孫さんには相続税の２割加算が適用されます。

したがって、教育資金贈与信託をいつ契約されたかを確認していただく必要があります。

✔解 説

教育資金一括贈与の契約期間中に贈与者が死亡した場合、次の⑴または⑵に該当するときは、一定の事由（※）に該当する場合を除き、管理残額（その死亡日における非課税拠出額から教育資金支出額を控除した残額のうち、一定の計算をした金額）を、その贈与者から相続等により取得したものとみなす。

⑴　2021年４月１日以後にその贈与者から信託受益権等の取得をし、この非課税

制度の適用を受けた場合

(2) 2019年4月1日から2021年3月31日までの間にその贈与者から信託受益権等の取得（その死亡前3年以内の取得に限る）をし、この非課税制度の適用を受けた場合

その結果、その贈与者から相続等により財産を取得した者の課税価格の合計額が、遺産に係る基礎控除額を超える場合には、相続税の申告期限までに相続税の申告を行う必要がある。

なお、受贈者が贈与者の子以外（孫など）の一定の者である場合には、管理残額のうち、2021年4月1日以後に贈与により取得した信託受益権等に対応する部分の相続税額について、相続税額の2割に相当する金額を加算する規定が適用される。

（※）受贈者が贈与者の死亡日において、23歳未満である場合、学校等に在学している場合または教育訓練給付金の支給対象となる教育訓練を受けている場合（以下、「23歳未満である場合等」）は、相続等によって取得したものとみなされない。

ただし、2023年4月1日以後に贈与者から信託受益権等の取得をし、当該非課税制度の適用を受けた場合で、同日以後にその贈与者が死亡したときにおいて、その贈与者に係る相続税の課税価格の合計額が5億円を超えるとき（管理残額を加算する前の相続税の課税価格の合計額で判定）は、その信託受益権等に対応する部分が、相続等により取得したものとみなされる。

このような贈与者死亡時の相続税の課税関係を整理すると以下のようになる。

	信託受益権または金銭等の取得時期	管理残額の相続税課税	相続税額の2割加算の適用
1	～2019年3月31日	課税なし	加算なし
2	2019年4月1日～2021年3月31日	贈与者の死亡前3年以内の取得分に限り、課税あり（23歳未満である場合等を除く）	加算なし
3	2021年4月1日～2023年3月31日	課税あり（23歳未満である場合等を除く）	加算あり
4	2023年4月1日～	課税あり（23歳未満である場合等で、かつ、贈与者に係る相続税の課税価格の合計額が5億円以下の場合を除く）	加算あり

MEMO

設例

Aさん（70歳）は、大都市圏近郊で自動車部品製造業を営むX株式会社（非上場会社）の3代目社長である。得意先の海外進出に呼応して、東南アジアへ製造子会社を積極的に展開してきた戦略が奏功し、業績は大きく拡大した。その後、東南アジアの地場需要も取り込み、今では海外子会社の業容が国内を大きく上回るに至っている。

一方、100年に一度といわれる自動車業界の大変革期に入り、Aさんは、X社の先行きに強い危機感を抱いている。事実、X社の業績には既に大きなブレーキがかかっている。

なお、Aさんは株式投資を唯一の趣味としており、個人で頻繁に売買を手掛けているが、X社でも余裕資金の一部を株式運用に回している。

【事業承継について】

X社がEV化に対応するためには10年単位の長期的取組みが必要であるため、Aさんは、3年前に完成車メーカーから中途採用したEさん（45歳）を経営企画室長に据えて事業戦略を策定させている。その検討過程を見るにつけ、Aさんは、いよいよ若い世代へバトンタッチする時期であると自覚するようになった。また、正直なところ、個人的には、好きな金融資産運用をしながら、ゆっくりしたいという気持ちも芽生えている。

Aさんには子が2人いる。長男Cさん（43歳）は、幼少のころからモノ作りが大好きで、私立大学工学部卒業後にX社に入社して以来、製造部門一筋でX社に貢献してきた。Aさんとしては、後継者の第一候補と考えているが、会計・総務といった管理業務や完成車メーカーを含む得意先との付き合いが苦手な長男Cさんを見ると、今のままが性に合っているのではないかとも感じている。

長女Dさん（40歳）は、芸能界で独自の生き方を貫いており、X社にまったく関心がない。

先日、メイン銀行との決算説明会の席上、支店長から「弊行にて貴社の自社株評価額を算出しましたが、貴社が株式等保有特定会社に該当しているため、非常に高い株価になっています」と指摘があり、「貴社の事業承継について一緒に考えていきませんか」と提案を受けた。Aさんは、株式等保有特定会社というものが何なのかよくわからなかったが、X社の将来を真剣に考え始めたタイミングであったため、支店長の話に乗ることにした。

また、テレビや雑誌でよく目にするM&A仲介会社から電話やメールで「事業承継の件で」と頻繁に面談の申込みを受けており、気になっているところである。

【X社の概要】

資本金：5,000万円　会社規模：大会社　従業員数：100人
売上高：25億円　　経常利益：2億円　純資産　：15億円
株主構成（発行済株式総数10万株）：Aさん100%
株式の相続税評価額：類似業種比準価額5,000円／株、純資産価額15,000円／株
※X社株式は譲渡制限株式である。

（注）設例に関し、詳細な計算を行う必要はない。

検討のポイント

- 設例の顧客の相談内容および問題点として、どのようなことが考えられるか。
- それらの相談内容および問題点を解決するために、どのような提案・方策が考えられるか。
- それらの方策（解決策）のなかで、何を顧客に提案するか。その理由・留意点は何か。
- FPと職業倫理について、どのようなことが考えられるか。

【親族関係図】

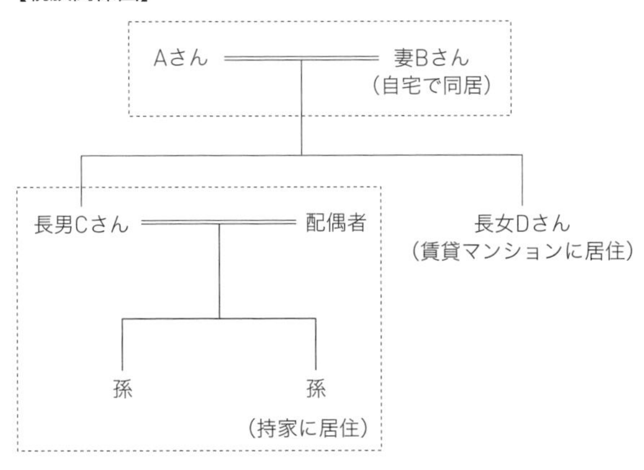

（メモ余白）

設例に対する検討と提案

受検者が検討すべき設例の顧客の相談内容および問題点

❶ Ａさんは株式等保有特定会社の内容が分からないため、説明してほしい。
❷ 後継者として長男Ｃさんを第一候補と考えているが、親族内承継を進めてよいかわからない。
❸ M＆Ａについて、どのようなメリット・デメリットがあるのか教えてほしい。
❹ Ｘ社にまったく関心のない長女Ｄさんと長男Ｃさんが将来、相続で揉めないようにするためにはどうすればよいか。
❺ 納税資金対策として、どのような提案・方策が考えられるか。

相談内容および問題点を解決するための提案と方策

➜❶に対する提案例

株式等保有特定会社とは、総資産価額のうち株式等の価額が50％以上となった会社のことです。株式等保有特定会社に該当すると、原則として純資産価額方式によって自社株を評価します。

ただし、選択により「S1＋S2方式」という評価も可能です。

Ｘ社は従業員数が100名と70名以上ですので、通常は類似業種比準価額5,000円/株で評価されます。しかし、株式等保有特定会社になると、原則として純資産価額15,000円/株となり、３倍の株価で評価されてしまいます。

そのため、株式の保有割合を減らして、株式等保有特定会社に該当しないように資産の入替を提案します。

✔解 説

株式等とは、株式および出資（新株予約権付社債を含む）をいう。株式等の価額の合計額を評価会社の総資産価額で除して算定した相続税評価ベースでの株式等保有割合が50％以上である会社を株式等保有特定会社という。

この場合、当該会社の株式は原則として純資産価額方式により評価する。

「S1＋S2方式」とは、株式等以外の評価（S1）と株式等の評価（S2）に分け、（S1）は一般の評価が会社に準じて評価し、（S2）は純資産価額方式で評価する方法である。

設例の場合、会社規模は大会社のため、（S1）について類似業種比準方式によって評価することが可能である。

➔❷に対する提案例

現時点で、長男Cさんを後継者の第一候補と考えていますので、まずは2026年3月31日までに事業承継税制の特例承継計画の提出することを提案します。

事業承継税制の特例は、2027年12月31日までに事業承継を実施することや、後継者が役員就任から3年以上経過しているなどの要件があります。そのため、事業承継税制の特例を活用する場合、長男Cさんを役員に登用し、後継者としての要件を満たすようにしてください。

仮に、特例承継計画を提出して、都道府県知事の認定を受けたにもかかわらず、計画どおり事業承継を行わなかったとしても特に罰則はありません。したがって、事業承継の選択肢を増やすために検討する余地はあると思います。ただし、期限が迫っていますので早い判断が必要です。

✔解説

いわゆる事業承継税制（非上場株式等についての相続税および贈与税の納税猶予および免除）は、従来からある一般措置と、2018年から10年間限定で適用される特例措置がある。

まず一般措置を確認したうえで、比較として特例措置を押さえておきたい。

ただし、特例措置は2026年3月31日までに特例承継計画を都道府県に提出し、認定を受ける必要があり、時間的な制限があるので注意が必要である。

現行制度において、事業承継税制の特例措置を活用する場合、2024年12月31日までに後継者は役員に就任しておく必要がある。そのため、特例措置の実質的な適用期限が2027年12月31日の3年前になってしまっており、役員就任要件は今後見直される見込みである。

なお、事業承継税制を利用する場合でも、事前にX社株式の評価引下げ対策をすることにより、納税猶予取消しに伴うリスクを減らしておくことが必要である。

【要点ポイントPart Ⅰ】非上場株式等に係る贈与税および相続税の納税猶予制度の「特例」と「一般」の比較

➔❸に対する提案例

M&Aには、合併、株式交換、会社分割、株式譲渡・事業譲渡などの種類がありますが、この中でも比較的簡単な株式譲渡によるM&Aが中小企業では多く行われています。

X社の経営環境は100年に一度と言われる大変革期に入っていますので、後継者がいたとしても事業の継続・発展のためにM&Aを選択する会社もあります。

M&Aにより従業員の雇用を継続し、取引先との取引を維持・発展できます。また、自社株を換金することができますので、Aさんの趣味に活用することもできます。

M&Aにご興味がありましたら、公的機関である事業承継・引継ぎ支援センターに相談に行ってはいかがでしょうか。また、M&A仲介会社からM&Aの説明を聞く前に、当該仲介会社がM&A支援機関に登録されているか否か確認することをお勧めします。

✔解 説

【要点ポイントPartⅠ】M&Aの手法

➜❹に対する提案例

M&Aを行い、Aさんの保有するX社株式を現金化すれば、相続が発生した際、遺産分割しやすいため兄弟間で揉める心配はあまりありません。

一方、事業承継税制を活用して長男CさんにX社株式のすべてを贈与した場合、遺留分を侵害する可能性がありますので注意してください。

遺留分に関する民法特例により、Aさんの推定相続人の全員（妻Bさん、長男Cさんおよび長女Dさん）と書面によって合意し、経済産業大臣の確認を取り、家庭裁判所の許可を得ることによって、X社株式を遺留分の算定対象から除外する特例と、X社株式の評価額を合意時の評価額に固定する特例を適用することができます。

また、現在、賃貸マンションに居住している長女Dさんが持ち家を希望される場合、直系尊属から住宅取得等資金の贈与を受けた場合の贈与税の非課税を活用して、建築資金の一部を長女Dさんに贈与することをお勧めします。

✔解 説

自社株の評価額が高額の場合、事業承継税制を活用して生前贈与することは有効な対策である。しかし、自社株がAさんの相続財産合計のうち大部分を占める場合、自社株を長男Cさんが取得すれば他の相続人の遺留分を侵害する可能性が高い。

事業承継を提案する場合に、遺留分および遺留分に関する民法特例の理解は必須である。

なお、遺留分に関する民法特例を利用する場合でも、事前にX社株式の評価額を引き下げることにより、遺留分算定基礎財産を減らしておく対策も必要である。

【要点ポイントPartⅠ】遺留分

【要点ポイントPartⅠ】遺言

【要点ポイントPartⅠ】直系尊属から住宅取得等資金の贈与を受けた場合の非課税制度

【要点ポイントPartⅠ】中小企業における経営の承継の円滑化に関する法律に伴う民法の特例

➔❺に対する提案例

相続税の課税対象となる死亡保険金については、「500万円×法定相続人の数」まで非課税とされていることから、生命保険の加入の有無を確認し、非課税限度額に余裕がある場合には、一時払い終身保険等への加入を提案します。

✔解 説

相続税の課税対象となる死亡保険金については、「500万円×法定相続人の数」まで非課税とされていることから、生命保険の加入の有無を確認し、非課税限度額に余裕がある場合には、一時払い終身保険等への加入が有効である。

払込保険料と死亡保険金にさほどの差がない（保障としてのメリットがあまりない）場合でも、現預金であればそのまま相続税の課税対象になるのに対し、死亡保険金の場合には「500万円×法定相続人の数」まで非課税となるため、非課税限度額に余裕がある場合には、一時払い終身保険等への加入を検討する。

この場合の「法定相続人の数」は、相続税計算上の法定相続人の数となるため、次の点に留意する。

- 相続放棄した者があっても、その放棄がないとした場合の相続人の数
- 被相続人に養子がある場合、法定相続人の数に含める養子の数は、次の区分に応じて、それぞれの人数までとなる。

被相続人に実子がある場合…１人
被相続人に実子がない場合…２人

ただし、特別養子縁組による養子となった者、被相続人の配偶者の実子で被相続人の養子となった者（いわゆる「連れ子養子」）、被相続人の実子または養子またはその直系卑属が相続開始前に死亡等したため、その者に代わって相続人となったその者の直系卑属（いわゆる「代襲相続人」）は、実子とみなされ人数制限は受けない。

設例

Ａさん（70歳）は、大都市圏近郊のＳ市内において、ターミナル駅を中心とした商業地域内に甲土地と乙土地を所有し、個人で不動産賃貸業を営んでいる。甲土地上には賃貸マンションを建設して賃貸しており、立地が良好なことから空室はなく、年間5,000万円の家賃収入（不動産所得3,000万円）を得ている。乙土地は、アスファルト敷きの月極駐車場として利用しており、一定の収入を得ているが、乙土地の固定資産税・都市計画税の負担を考えると収益性は高くない。

Ａさんは、毎年の所得税の負担が大きいと感じており、何か軽減する方法がないかと考えていたところ、金融機関の担当者から「法人を設立して所得の分散を図ってはいかがですか。その際には、ご融資を前向きに検討させていただきます」との話があり、興味を持っている。

また、乙土地については、地元の不動産業者から「乙土地にテナントビルを建築しませんか。弊社は、30年間の一括借上げシステムを採用しており、安定した不動産所得を得られ、相続対策上も有利になります」との提案を受けている。Ａさんは、テナントビルを建築する場合、その名義は個人、法人のどちらがより望ましいのか判断がつかないでいる。

【資産承継について】

Aさんは、S市内の戸建て住宅で妻Bさん（68歳）と二女Dさん（40歳）の3人で暮らしているが、築40年が経過して老朽化が進んでおり、今後リフォーム費用もかかることから、戸建て住宅（土地建物、時価1億円）を売却して、駅近の分譲マンション（販売価格8,000万円）への住み替えを検討している。住み替えた分譲マンションは、ゆくゆくは二女Dさんに承継したいと思っている。

また、賃貸不動産からの収入は、将来的には長女Cさん（44歳）、二女Dさんの2人が均等に得られるようにしておきたいと考えている。

【Aさんの家族構成（推定相続人）】

妻Bさん　（68歳）：青色事業専従者。Aさんと自宅で同居している。
長女Cさん（44歳）：専業主婦。会社員の夫と子の3人で夫所有の持家に住んでいる。
二女Dさん（40歳）：会社員。Aさんと自宅で同居している。

【Aさんの所有財産の概要】（相続税評価額、土地は小規模宅地等の評価減適用前）

1. 現預金	：	1億5,000万円
2. 有価証券	：	1億円
3. 自宅		
①土地（280㎡）	：	8,000万円
②建物	：	500万円
4. 賃貸マンション		
①甲土地（600㎡）	：	1億5,000万円
②建物	：	8,000万円
5. 月極駐車場（乙土地、700㎡）	：	1億6,500万円
合計	：	7億3,000万円

※Aさんの相続に係る相続税額は、約2億3,000万円（配偶者の税額軽減・小規模宅地等の評価減適用前）と見積もられている。

（注）設例に関し、詳細な計算を行う必要はない。

検討のポイント

- 設例の顧客の相談内容および問題点として、どのようなことが考えられるか。
- それらの相談内容および問題点を解決するために、どのような提案・方策が考えられるか。
- それらの方策（解決策）のなかで、何を顧客に提案するか。その理由・留意点は何か。
- FPと職業倫理について、どのようなことが考えられるか。

【親族関係図】

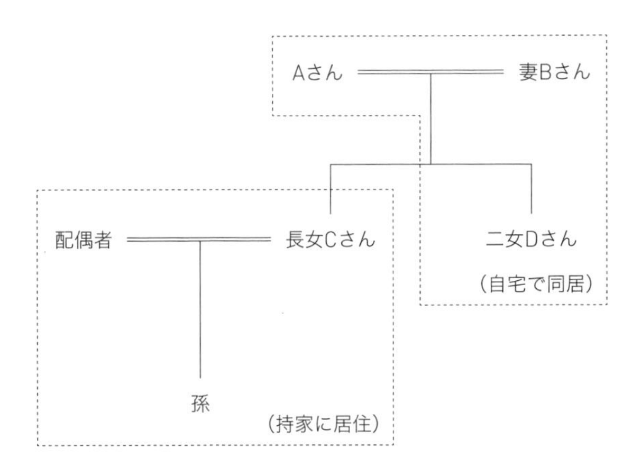

（メモ余白）

設例に対する検討と提案

受検者が検討すべき設例の顧客の相談内容および問題点

❶ 法人成りについて、どのような提案・方策が考えられるか。
❷ 不動産賃貸業を営んでいるＡさんの所得税の負担軽減策として、法人成りの仕方としてどのような方法が考えられるか。
❸ 戸建て住宅を売却して、分譲マンションに住み替える際に、どのような提案・方策が考えられるか。
❹ 住み替えた分譲マンションを二女Ｄさんに将来的に承継させる方法として、どのようなものが考えられるか。
❺ 賃貸不動産からの収入を２人の娘が均等に得られるようにするためには、どのような方策が考えられるか。
❻ 相続財産の評価減として、どのような提案・方策が考えられるか。
❼ 納税資金対策として、どのような提案・方策が考えられるか。

相談内容および問題点を解決するための提案と方策

➔❶に対する提案例

乙土地（700㎡）にテナントビルを建築すると、甲土地と同じＳ市内のターミナル駅を中心とした商業地域内であるため、甲土地（600㎡）と同等以上の賃料収入が見込まれます。すでに甲土地だけで年間5,000万円の家賃収入（不動産所得3,000万円）を得ていますので、所得税等の負担も高額になると推測されます。そこで、法人を設立し不動産賃貸業を法人化（いわゆる「法人成り」）するとともに、不動産管理会社として活用すれば所得税等の軽減対策になります。

✔解 説

法人成りを検討する際には、将来の一定期間において安定した所得が見込めるか否かが重要となる。設例のように、家賃収入が継続的に見込める場合、法人成りすることで税負担や社会保険料の負担がどのように変化するかのシミュレーションが判断材料となる。

なお、個人名義と法人名義のいずれが相続しやすいかという点についても、顧客の意向を確認しておく必要がある。

【要点ポイントPartⅠ】会社設立（法人成り）のメリット
【要点ポイントPartⅠ】会社設立（法人成り）のデメリット

➔❷に対する提案例

法人を設立して不動産所得を分散するには、設立した法人に不動産の管理を任せる方法と不動産自体を所有させる方法があります。

所得の分散を主目的とするのであれば、建物のみを法人所有にするのが有効だと思われますが、それぞれの特徴をよく理解したうえで決定する必要があります。

✔解 説

⑴ 不動産保有方式

法人を利用した不動産賃貸の形態として、不動産を法人所有にする方法がある。

不動産を法人所有にする場合、土地建物ともに法人所有とするか、建物だけを法人所有するかが考えられる。

土地建物ともに法人所有とするには売買や現物出資がある。土地に含み益があるといずれの方法でも譲渡所得税がかかるので、予想相続税額の税率が譲渡所得にかかる税率を大幅に上回る場合など、譲渡所得税を負担しても相応のメリットがあるときには検討する。

また、売買の場合には適正額（いわゆる時価）で法人に譲渡しないと課税上問題が生じる（高額譲渡の場合の役員給与の認定、低額譲渡の場合のみなし譲渡や受贈益の認定など）とともに、法人で買取資金を準備する必要がある（本設例の場合は金融機関から融資を受けられる見込みである）。

したがって、比較的資産価値の低い建物のみを法人に売却するケースが一般的である。

一般的に建物は含み益を発生しないので（発生しても少額）、譲渡所得税の負担はそれほど大きくない。建物を法人所有とすれば、賃貸収入は法人に帰属することになり、妻Ｂさん、長女Ｃさん、二女Ｄさんを法人の役員とし、役員報酬を得ることで不動産収入の分散を図ることができるとともに、将来の相続税の納税資金を確保することもできる。

建物だけを法人所有とする場合は、権利金の認定課税が行われないように「土地の無償返還に関する届出書」を提出する。この場合の敷地である土地の相続税評価は、借地権割合に関係なく自用地価額の80％（20％減）で評価される。ただし、20％減となった分は、その法人の株式評価上、相続税評価額による資産に計上され、純資産価額による自社株評価額の増加要因になる。また、土地建物または建物のみの名義変更に伴い、登記費用や不動産取得税等の付随費用がかかることに留意する。

⑵ 不動産管理会社

不動産管理会社の一般的な形態として、委託管理方式と一括借上げ方式がある。

委託管理方式は、たとえば、Aさんが賃貸管理業務を管理会社に委託し、会社は賃借人の募集、入退去の手続、滞納家賃の督促、日常清掃のメンテナンス等を行い、その業務報酬をAさんが会社に支払う形態である。会社は管理業務を行うだけなので、通常に比べ高額な業務報酬を支払うと損金算入が否認される可能性があり、所得の分散効果は少ない。また、空室リスクはAさんが負うことになり、相続税評価額は現状と変わらない（空室がある場合は、それを考慮した賃貸割合による「貸家建付地」および「貸家」として評価）。

一括借上げ方式は、Aさんから会社が賃貸不動産を一括で借り上げ、会社はこの賃貸不動産を賃借人に転貸する形態である。会社がAさんに支払う家賃と賃借人から受け取る家賃の差額が会社の収入となり、会社が空室リスクを負うため、空室が少なければ一般的に委託管理方式より会社の収入は多くなる。一括借上げ方式の場合、Aさんは常に満室（賃貸割合100％）の状態を維持できるため、相続税評価上は有利になる（賃貸割合100％の「貸家建付地」および「貸家」として評価）。

いずれの形態も法人の記帳や法人税申告など事務処理が格段に煩雑となり、事務コストの増加が見込まれるので、ある程度まとまった不動産所得がない場合、法人を利用するメリットはあまりないといえる。

→❸に対する提案例

居住用財産（自宅）を売却する際、一定の要件を満たせば譲渡所得から最高3,000万円を控除できます。さらに、3,000万円特別控除後の譲渡益に対して軽減税率を適用することもできます。

また、居住用財産（自宅）を売却して、新たな居住用財産を購入する場合、一定の要件を満たせば特定の居住用財産の買換えの特例を活用できます。

この特例を活用すると、購入した居住用財産の金額のほうが譲渡金額より高い場合には譲渡益はなかったものとされ、低い場合には譲渡金額と購入金額の差額に相当する分だけが譲渡所得とされます。

ただし、3,000万円控除および軽減税率の特例と特定の居住用財産の買換えの特例は併用できませんので、どちらか税務上有利になるかシミュレーションしてみましょう。

✔解 説

設例では自宅の相続税評価額8,500万円（＝土地8,000万円＋建物500万円）に対して、時価は１億円となっている。

そのため、自宅を売却した際には譲渡所得税が発生する可能性がある。
⑴ 譲渡所得の計算方法（土地や建物を譲渡したとき）

課税譲渡所得金額＝収入金額－（取得費＋譲渡費用）－特別控除額

収入金額は、通常、土地や建物を売ったことによって買主から受け取る金銭の額である。しかし、土地建物を現物出資して株式を受け取った場合のように、金銭以外の物や権利で受け取ると、その物や権利の時価が収入金額となる。

土地や建物を譲渡した場合の特別控除額として代表的なものでは、収用等により土地建物を譲渡した場合に5,000万円、住居用財産（マイホーム）を譲渡した場合に3,000万円が控除される。
設例の場合、所定の要件を満たせば、居住用財産を譲渡した場合の3,000万円の特別控除の特例を活用できる。

なお、長期譲渡所得は、譲渡した年の１月１日現在で所有期間が５年を超える土地建物を、また、短期譲渡所得は譲渡した年の１月１日現在で所有期間が５年以下の土地建物を、それぞれ譲渡したことによる所得をいう。

⑵ 税額の計算方法（土地や建物を譲渡したとき）
土地や建物の譲渡による所得は分離課税方式が採用されている。

- 長期譲渡所得：課税長期譲渡所得金額×20.315％（住民税・復興特別所得税含む）
- 短期譲渡所得：課税短期譲渡所得金額×39.63％（住民税・復興特別所得税含む）

居住用財産を譲渡した場合の長期譲渡所得については、3,000万円特別控除後の譲渡益に対して、軽減税率を適用することができる。

【要点ポイントPartⅡ】特定の居住用財産の買換え・交換の特例
【要点ポイントPartⅡ】居住用財産を譲渡した場合の3,000万円特別控除
【要点ポイントPartⅡ】居住用財産を譲渡した場合の長期譲渡所得の特例（軽減税率）

➔❹に対する提案例

住み替えた分譲マンションを二女Ｄさんに承継させるため、遺産分割で争わないように遺言書の作成を提案します。

また、一次相続で妻Ｂさんが相続の後、二次相続で二女Ｄさんが確実に相続するためには、後継ぎ遺贈型の受益者連続信託の検討も提案します。

✔解 説

遺言では、１人目の財産承継者を決めることはできても、２人目以降の財産承継者を決めることはできないといわれている。そこで、後継ぎ遺贈型の受益者連続信託を活用する。後継ぎ遺贈型の受益者連続信託とは、「受益者の死亡により、順次、他の者が受益権を取得する旨の定めがある信託」である。

たとえば、現在は委託者が受益者になっているが、その委託者が死亡したら受益権を甲さんに、甲さんが死亡したら受益権を乙さんに、乙さんが死亡したら受益権を丙さんに、というように、あらかじめ受益者を順次決めておく信託である。ただし、無期限にこの後継ぎ遺贈が認められているわけではなく、信託設定時から30年を経過した後は、１回しか受益権の承継は認められない。

設例のケースでは、自宅の土地建物を信託財産、委託者をＡさん、当初の受益者をＡさん（受託者は、二女Ｄさんや管理会社が考えられる）、そして、Ａさんが死亡したら受益者を妻Ｂさん、妻Ｂさんが死亡したら受益者を二女Ｄさんとする「後継ぎ遺贈型の受益者連続信託」を設定することでＡさんの希望は叶えられる。

➜❺に対する提案例

不動産賃貸業を法人化して、長女Ｃさんと二女Ｄさんを役員に就任させることで、役員報酬という形で２人は均等に収入を得られることができます。

長女Ｃさんと二女Ｄさんも出資して株主になっておくと、賃貸収入はすべて法人に帰属するため、Ａさんの相続財産の圧縮にもなります。

ただし、長女Ｃさんと二女Ｄさんに資金力がないことも考えられますので、まずはＡさんが全額出資して法人を設立します。その後、乙土地にテナントビルを建築する際に、金融機関から資金調達したり、Ａさんに役員退職金を支給したりすることで自社株評価を下げたときに、自社株を長女Ｃさんと二女Ｄさんに贈与や譲渡することを提案します。このとき、当該法人の代表権をいずれかに決めておいたほうがよいでしょう。

✔解 説

賃貸不動産を相続人が均等に得られることを意図して共有名義にするのは避けたほうがよい。賃貸不動産を共有名義にすると、原則として、全員の合意がないと当該不動産の管理や処分などができなくなる。

そのため、賃貸不動産を法人化しても、当該法人の株主が姉妹で50：50にしてしまうと、両者の合意がないと何も決められなくなってしまう。

不動産賃貸業の経営が安定している際には、特段、問題は生じないが、当該不動産に空室が生じたり、大規模修繕が必要になったりすると、適時適切な意思決定ができない問題が顕在化する。

そこで、姉妹のうちいずれかが代表権を持つように、法人の株式の過半数を持たせる必要がある。

➔❻に対する提案例

ご自宅の土地については妻Ｂさんか二女Ｄさんが相続で取得すれば330㎡まで80％減額の対象になりますが、長女Ｃさんが相続で取得しても現状では評価減は受けられません。

賃貸マンションについては、どなたが相続で取得しても相続税の申告期限まで貸付事業および土地の保有を継続すれば200㎡まで50％減額の対象になります。

月極駐車場については、アスファルトやコンクリートで舗装されていれば、土地の上に事業を営む構築物があるとみなされ、賃貸マンション同様200㎡まで50％減額の対象になります。ただし、舗装されていない青空駐車場の場合は、小規模宅地等の特例の適用はできません。

なお、特定居住用宅地等（ご自宅）と貸付事業用宅地等（賃貸マンション、月極駐車場）とは面積調整が必要になります。

✔解 説

【要点ポイントPartⅠ】小規模宅地等の特例

➔❼に対する提案例

相続税の課税対象となる死亡保険金については、「500万円×法定相続人の数」まで非課税とされていることから、生命保険の加入の有無を確認し、非課税限度額に余裕がある場合には、一時払い終身保険等への加入を提案します。

✔解 説

- 第３問❺に対する提案例を参照

設例

　Ａさん（68歳）は、大都市圏郊外で社団医療法人Ｘクリニック（内科、経過措置型医療法人）を営む２代目の内科医である。父親から引き継いだ内科医業を2003年４月に法人化し、理事長として勤務している。また、法人化したときから、弟Ｅさん（65歳）も理事・事務長としてＸクリニックに勤務している。現在、Ｘクリニックの社員は、Ａさん、妻Ｂさん（63歳）、弟Ｅさんの３名であり、Ａさんと弟Ｅさんは出資持分を有している。

　Ａさんは、そろそろ引退して長男Ｃさん（35歳）に後を譲るつもりで、長男Ｃさんも承諾している。また、弟Ｅさんから、Ａさんの引退と同時に社員を退社し、出資持分の払戻しを受けたいと打診されている。

　Ａさんは、先日、地元医師会主催のセミナーに参加し、出資持分の払戻しのリスクや税金対策、認定医療法人への移行などの話を聞き、まずは定款の出資持分の規定を確認するようにとのことであったが、その意味がよくわからない。特に出資持分の払戻しのリスクについて気になっており、FPであるあなたに説明を求めている。

　なお、Ａさんは、長男ＣさんにＸクリニック関連資産を承継させる一方で、長女Ｄさん（33歳）にも相応の資産を承継させたいと考えているが、米国在住で非居住者である長女Ｄさんの相続税の負担がどのようになるのかわからない。また、老朽化が進んだ自宅を長男Ｃさん家族との二世帯住宅に建て替えたいと考えており、長男Ｃさんも賛同している。

【Aさんの家族構成（推定相続人）】

妻Bさん　（63歳）：Xクリニックの理事・社員。出資持分はない。
長男Cさん（35歳）：内科医。母校の附属病院に勤務後、Xクリニックに勤務している。
　　　　　　　　　妻と2人の子の4人で賃貸マンションに住んでいる。
長女Dさん（33歳）：10年前から米国在住。国籍は日本。

【Xクリニックの概要】

年商　　　　　　：1億円
資本金（出資金）：4,000万円（40,000口）　利益剰余金：2億円
出資持分：Aさん80%（32,000口）、弟Eさん20%（8,000口）
会社規模：中会社の小
出資持分の相続税評価額：類似業種比準価額2,000円／口、純資産価額5,000円／口

【Aさんの所有財産の概要】（相続税評価額、土地は小規模宅地等の評価減適用前）

1. 現預金	：	1億円
2. 有価証券	：	5,000万円
3. 自宅		
①土地（300㎡）	：	8,000万円
②建物（築40年）	：	2,000万円
4. Xクリニック出資持分	：	1億240万円
5. Xクリニック		
①土地（400㎡）	：	1億円
②建物（築25年）	：	8,000万円
合計	：	5億3,240万円

※Aさんの相続に係る相続税額は、約1億4,500万円（配偶者の税額軽減・小規模宅地等の評価減適用前）と見積もられている。

（注）設例に関し、詳細な計算を行う必要はない。

検討のポイント

- 設例の顧客の相談内容および問題点として、どのようなことが考えられるか。
- それらの相談内容および問題点を解決するために、どのような提案・方策が考えられるか。
- それらの方策（解決策）のなかで、何を顧客に提案するか。その理由・留意点は何か。
- FPと職業倫理について、どのようなことが考えられるか。

【親族関係図】

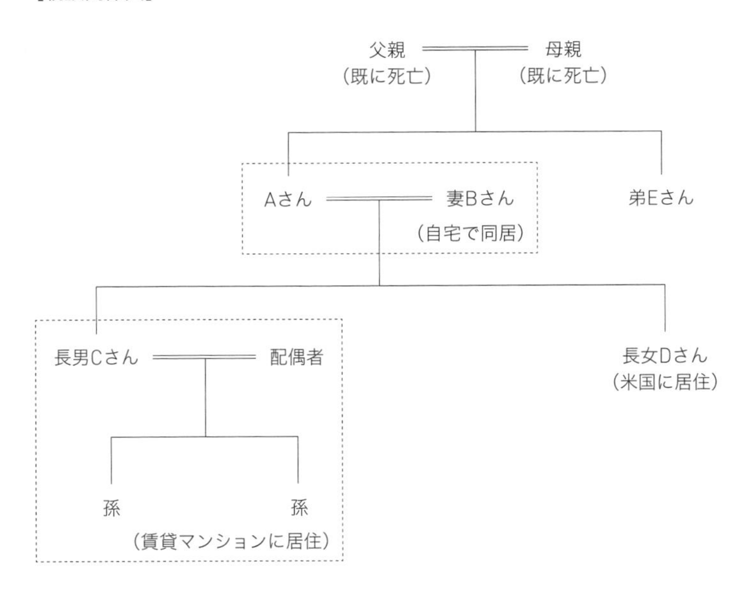

（メモ余白）

設例に対する検討と提案

受検者が検討すべき設例の顧客の相談内容および問題点

❶ 定款の出資持分の規定を確認する意味として、どのようなことが考えられるか。
❷ 出資持分の払戻しのリスクとして、どのようなことが考えられるか。
❸ 米国在住で非居住者である長女Ｄさんの相続税の負担として、どのようなことが考えられるか。
❹ 老朽化が進んだ自宅を長男Ｃさん家族との二世帯住宅に建て替えるために、どのような提案・方策が考えられるか。
❺ 納税資金対策として、どのような提案・方策が考えられるか。
❻ 長男ＣさんにＸクリニック関連資産を承継させる一方で、長女Ｄさんにも相応の資産を承継させるために、どのような提案・方策が考えられるか。

相談内容および問題点を解決するための提案と方策

→❶に対する提案例

定款の出資持分の規定において、「社員資格を喪失した者は、その出資額に応じて払戻しを請求することができる」とある場合、弟Ｅさんは社員を退社し、出資持分の払戻しを請求することができます。

Ｘクリニックは利益剰余金が２億円あり、弟Ｅさんは20％の出資持分を持っており、払戻し金額も高額になりますので、払戻しに応じる場合は資金繰りに注意が必要です。

✔解 説

⑴ 持分の意義

従来、医療法人の持分については、法令に明文規定が存在せず、実務上の呼称も統一されていなかった（出資持分、持分、出資金、出資など）が、2014年の医療法改正に伴って、持分の定義として、「定款の定めるところにより、出資額に応じて払戻しまたは残余財産の分配を受ける権利」と規定された。

⑵ 持分の払戻請求

① 定款の根拠規定

持分の払戻請求権は、定款の規定を根拠に発生する権利である。

根拠規定の典型例が改正前モデル定款第９条の「社員資格を喪失した者は、その出資額に応じて払戻しを請求することができる」であり、これと同趣旨の規定が定款中に存在する医療法人においては、持分の払戻請求の問題が発生する可能性がある。

② 請求権者

改正前モデル定款第9条は、「社員資格を喪失した者」が持分の払戻請求権者であると定めている。そのため、定款中に改正前モデル定款第9条と同趣旨の規定を有する医療法人において、社員資格を有しない出資者が存在した場合、当該出資者やその相続人等は、当該定款規定を根拠とした持分の払戻請求はできない（払戻請求の可否・内容等は、民法等の一般法理に基づいて判断される）。

なお、定款中に改正前モデル定款第9条と同趣旨の規定を有する医療法人において、持分を有する社員が死亡により社員資格を喪失した場合、当該社員のもとで持分払戻請求権が発生すると同時に相続されると考えるため、結果的に相続人が請求権者となる。

(3) 払戻額

定款中に改正前モデル定款第9条と同趣旨の規定を有する医療法人の場合、持分の払戻額は、社員資格の喪失時点における当該医療法人の財産評価額に同時点における当該資格喪失者の出資割合を応じて算定されることが一般的であるため、自社株と同じように評価する。

〈払戻額〉

評価方法	算式
類似業種比準価額	出資50円当たりの評価＝①×（③/②＋⑤/④）÷2×斟酌率 ① 類似業種の出資50円当たりの株価 ② 類似業種の出資50円当たりの年利益金額 ③ 当該法人の出資50円当たりの年利益金額 ④ 類似業種の出資50円当たりの純資産価額 ⑤ 当該法人の出資50円当たりの純資産価額
純資産価額	出資50円当たりの評価＝④÷（資本金等の額÷50円） ① 財産評価基本通達に基づく評価後の純資産額 ② 簿価純資産額 ③ （①－②）×37% ④ ①－③
時価純資産価額	出資50円当たりの評価＝時価純資産価額÷（資本金の額÷50円）

※会社規模の判定における業種区分について、医療法人そのものはあくまで「サービス業」の一種と考えられることから、「小売・サービス業」に該当する。
※類似業種比準価額で用いる業種目は「その他の産業」である。
※斟酌率は、大会社は0.7、中会社は0.6、小会社は0.5である。
※純資産価額方式において、純資産価額の80%評価は適用できない。

⑷ 払戻しに伴う課税関係

持分の払戻額から当該持分に係る払込出資額を差し引いた金額が配当所得の金額とされ、払戻しを行う医療法人は、かかる配当所得の20.42％（復興特別所得税含む）相当額を源泉所得税として納付しなければならない。

また、持分の払戻しを受けた者は、上記の配当所得の金額につき、他の所得と合算して確定申告を行う必要がある。

→❷に対する提案例

出資持分の払戻しのリスクとして直接的な影響は、医療法人からの資金流出です。

間接的な影響として、相続税、贈与税による影響があります。

まず、出資者が死亡して相続が開始されると、納税資金確保のため、相続人により払戻請求が行われてしまいます。

次に、出資者が持分を放棄すると、残りの出資者にみなし贈与が発生し、贈与税の負担が生じます。

最後に、すべての出資者が持分を放棄したことにより、医療法人が経済的利益を受けた場合、原則として当該医療法人を個人とみなして贈与税が課されてしまいます。

このようなリスクに対応するため、認定法人への移行の検討をお勧めします。

✔解 説

〈「持分なし医療法人」への移行促進策〉

⑴ 概要

現在持分あり医療法人が、持分なし医療法人へ移行をしようとする場合、その移行計画を作成し提出することで、厚生労働大臣による認定を受けることができる。

移行計画においては、認定日から５年を超えない範囲で移行の期限を定める必要がある他、その期限内に持分なし医療法人への移行を完了するための有効かつ適切な計画であることが求められる。

厚生労働大臣の認定を受けた医療法人は「認定医療法人」となり、税制優遇や融資の支援を受けることができる。なお、認定は、移行計画認定制度の実施期間の2026年12月31日までに受ける必要がある。

⑵ 税制措置

① 出資者に対する相続税の猶予・免除

相続人が持分あり医療法人の持分を相続または遺贈により取得した場合には、相続人に対して相続税が課される。

ただし、その法人が相続税の申告期限までに移行計画の認定を受けた医療法人であるときは、その持分に対応する相続税額については、移行計画の期間満了までその納税が猶予され、当該相続人が持分のすべてを放棄した場合は、猶予税額が免除される。

②出資者間のみなし贈与税の猶予・免除

移行計画の認定を受けた医療法人の出資者が持分を放棄したことにより、他の出資者の持分が増加した場合、贈与を受けたものとして他の出資者に贈与税が課される。

ただし、その法人が持分の放棄の時点までに移行計画の認定を受けた医療法人であるときは、その放棄により受けた経済的利益に対応する贈与税額については、移行計画の期間満了までその納税が猶予され、当該他の出資者が持分のすべてを放棄した場合は、猶予税額が免除される。

③医療法人に対するみなし贈与税の課税の特例

持分なし医療法人への移行に伴い、出資者が持分の放棄を行ったことで医療法人が経済的利益を受けた場合には、医療法人に対して贈与税が課される。

ただし、その法人が移行計画の認定を受けた医療法人であるときは、この規定が適用されず、贈与税は課されない。

(3) 融資制度

移行計画の認定を受けた医療法人において、持分の払戻しが生じ、資金調達が必要となった場合には、独立行政法人福祉医療機構による資金の貸付け（持分なし医療法人へ移行する医療施設等に係る経営安定化資金）を受けることができる。

(4) 認定医療法人の要件

移行計画認定制度を利用する医療法人は、運営に関して次の要件をすべて満たす必要がある。これらの要件については、認定を受ける時点だけでなく、持分なし医療法人への移行後6年が経過するまでの間、満たし続ける必要がある。

- 法人関係者に対し、特別の利益を与えないこと
- 役員に対する報酬等が不当に高額にならないような支給基準を定めていること
- 株式会社等に対し、特別の利益を与えないこと
- 遊休財産額が事業に係る費用の額を超えないこと
- 法令に違反する事実、帳簿書類の隠ぺい等の事実その他公益に反する事実がないこと
- 社会保険診療等（介護、助産、予防接種等を含む）に係る収入金額が全収入金額の80％を超えること
- 自費患者に対し請求する金額が、社会保険診療報酬と同一の基準によること
- 医業収入が医業費用の150％以内であること

(5) 移行後の手続

認定医療法人においては、移行完了後６年を経過する日までの間、厚生労働大臣に対して運営状況報告が必要となる。

認定医療法人が持分なし医療法人に移行後６年が経過すると、当該認定の効力は消滅する。６年が経過した後については、認定医療法人としての要件充足や報告の義務はない。

(6) 認定医療法人のデメリット

- 認定医療法人は解散すると、残余財産は国、地方公共団体や他の持分のない医療法人等の帰属となるため、出資者への分配はできない。
- M&A等で第三者に譲渡する際、出資持分の譲渡による対価は得られないため、退職金等の支払いを受ける方法に限られる。

→❸に対する提案例

相続税の納税義務者は、相続や遺贈により財産を取得した人です。長女Dさんは10年前から米国に在住していますので、相続が発生した際には国内財産・国外財産ともに相続税の課税対象となります。

相続税は基礎控除額を超えたとき、超えた部分に課税され、相続税の納税義務者は相続した財産の割合に応じて各自が負担します。そのため、長女Dさんは相続財産の30％を取得した場合、Aさんの相続に係る相続税額の30％を負担し、相続税額の控除や加算を行って、最終的な納税額を計算します。

✔解 説

【相続税の納税義務者と納税範囲】

<table>
<tr><th colspan="2" rowspan="3">相続人
被相続人</th><th colspan="2">国内に住所あり</th><th colspan="3">国内に住所なし</th></tr>
<tr><th rowspan="2"></th><th rowspan="2">短期滞在の外国人(注3)</th><th colspan="2">日本国籍あり</th><th rowspan="2">日本国籍なし</th></tr>
<tr><th>10年以内に住所あり</th><th>10年以内に住所なし</th></tr>
<tr><td colspan="2">国内に住所あり</td><td>A</td><td>A</td><td>C</td><td>C</td><td>C</td></tr>
<tr><td></td><td>一定の外国人(注1)</td><td>A</td><td>B</td><td>C</td><td>D</td><td>D</td></tr>
<tr><td rowspan="3">国内に住所なし</td><td>10年以内に住所あり</td><td>A</td><td>A</td><td>C</td><td>C</td><td>C</td></tr>
<tr><td>一定の外国人(注2)</td><td>A</td><td>B</td><td>C</td><td>D</td><td>D</td></tr>
<tr><td>10年以内に住所なし</td><td>A</td><td>B</td><td>C</td><td>D</td><td>D</td></tr>
</table>

A：居住無制限納税義務者（国内財産・国外財産ともに課税）
B：居住制限納税義務者（国内財産のみに課税）
C：非居住無制限納税義務者（国内財産・国外財産ともに課税）
D：非居住制限納税義務者（国内財産のみに課税）

（注1）　出入国管理および難民認定法別表第1の在留資格を有する人
（注2）　国内に住所がある期間に引き続き日本国籍を持っていない人
（注3）　上記（注1）の在留資格を有する人で、相続開始前15年以内において国内に住所がある期間の合計が10年以下の人

〈相続税額の計算〉

⑴　各人の課税価格の合計

相続や遺贈、相続時精算課税の適用を受けるなど、贈与によって財産を取得した人ごとに課税価格を計算し、各人の課税価格を合計して課税価格の合計額を算出する。

⑵　相続税の総額の計算

課税価格の合計額から基礎控除額を差し引いて、課税遺産総額を計算する。

課税価格の合計額－基礎控除額(3,000万円＋600万円×法定相続人の数)＝課税遺産総額

課税遺産総額を、各法定相続人が民法に定める法定相続分に従って取得したものとして、各法定相続人の取得金額を計算する。

課税遺産総額×各法定相続人の法定相続分＝法定相続分に応ずる各法定相続人の取得金額(千円未満切捨て)

各法定相続人の取得金額に税率を乗じて、相続税の総額の基となる税額を算出する。

法定相続分に応ずる各法定相続人の取得金額×税率＝算出税額

各法定相続人の算出税額を合計して相続税の総額を計算する。

⑶　各人の相続税額の計算

相続税の総額を、財産を取得した人の課税価格に応じて割り振って、財産を取得した人ごとの税額を計算する。

相続税の総額×各人の課税価格÷課税価格の合計額＝各相続人等の税額

(4) 各人の納付税額の計算

各相続人等の税額から各種の税額控除額を差し引いた残りの額が各人の納付税額になる。ただし、財産を取得した人が被相続人の配偶者、父母、子以外の者である場合、税額控除を差し引く前の相続税額にその20％相当額を加算した後、税額控除額を差し引く。

➔❹に対する提案例

直系尊属からの住宅取得等資金の贈与を受けた場合の贈与税の非課税（以下「住宅取得等資金の贈与」という）を活用すれば建替え後の建物名義の一部を長男Ｃさんにすることができます。この特例は最高1,000万円までの住宅取得資金の贈与が非課税となり、贈与税の基礎控除110万円と併用できますので、併せて1,110万円まで贈与税を負担することなく、Ａさんから建築資金の一部を長男Ｃさんに贈与することができます。

建築資金の総額が5,000万円で1,110万円贈与した場合、長男Ｃさんの共有持分は1,000分の222（1,110万円÷5,000万円）となります。

また、贈与税の配偶者控除を利用すれば、さらにＡさんの財産を妻Ｂさんに移転することができますので併せてご検討ください。

住宅取得等資金の贈与と贈与税の配偶者控除を活用すると、土地はＡさん名義、建物はＡさん、妻Ｂさん、長男Ｃさんの共有になります。二世帯住宅は内部で往来のできるタイプと往来のできない完全分離のタイプがありますが、いずれも小規模宅地等の評価減の計算上は同居とみなされますので、Ａさんの相続時に自宅の土地を、妻Ｂさんまたは長男Ｃさんが相続し居住継続等の要件を満たせば、「特定居住用宅地等」として300㎡すべてが80％減額の対象になります。ただし、区分登記した建物は対象にならないことに注意が必要です。

さらに、Ｘクリニックの土地については、長男Ｃさんが相続で取得し、相続税の申告期限までＸクリニックの事業および土地の保有を継続すれば、400㎡まで80％減額の対象になります。特定居住用宅地等（ご自宅）と特定事業用等宅地等（Ｘクリニック）は完全併用できます。

✔解 説

(1) 建物の相続税評価額

建物の相続税評価額は固定資産税評価額によることになる。一般的に建物の固定資産税評価額は建築価額（取得価額）の60％程度として評価されることが多い。

手持ちの現預金または借入金で建物を建築した場合は、この評価額の差額分の資産圧縮効果が見込まれる。

(2) 小規模宅地等の評価減の適用

被相続人と親族が居住するいわゆる二世帯住宅の敷地の用に供されている宅地等について、二世帯住宅が構造上区分された住居（いわゆる完全分離型）であっても、区分所有建物登記がされている建物を除き、一定の要件を満たすものである場合には、親族が居住する部分を含めその敷地全体について特例の適用が受けられる。

【要点ポイントPartⅠ】小規模宅地等の特例

➔❺に対する提案例

相続税の課税対象となる死亡保険金については、「500万円×法定相続人の数」まで非課税とされていることから、生命保険の加入の有無を確認し、非課税限度額に余裕がある場合には、一時払い終身保険等への加入を提案します。

✔解 説

- 第3問❺に対する提案例を参照

➔❻に対する提案例

長男Cさんの相続財産に偏りが生じることによる争いを防ぐため、遺言書の作成を提案します。遺言書を作成する際には、長女Dさんの遺留分を侵害しないように注意してください。

✔解 説

【要点ポイントPartⅠ】遺言
【要点ポイントPartⅠ】遺留分

設例

　Ａさん（70歳）は、地方中核都市に所在するＸ株式会社（非上場会社・家具製造業）の代表取締役社長である。Ｘ社は、約40年前にＡさんと弟Ｅさんの２人で設立した会社であるが、業績は堅調に推移し、従業員70人超の規模に成長した。５年前、弟Ｅさんが病気により他界し、弟Ｅさんが所有していたＸ社株式は、甥Ｆさん（40歳、弟Ｅさんの子）が承継した。

【事業承継について】

　Aさんは、自身の年齢のことも考え、数年のうちに勇退するつもりでいる。X社は、Aさんの実家があった土地に本社兼工房があり、X社株式は、Aさんが51％、甥Fさんが49％保有している。

　大手家具メーカーに勤務していた甥Fさんは、弟Eさんの死亡後、X社に入社した。現在はオフィス部門の責任者を務め、取引先・従業員からの信頼は厚い。Aさんは、弟Eさんとの約束もあり、甥Fさんを後継者として考えており、甥Fさんにもその自覚がある。

　なお、Aさんには長女Cさん（37歳）と二女Dさん（34歳）がいるが、いずれもX社の経営にはまったく関心がない。Aさんは、2人の子はX社の事業承継とは関係がないと思っているが、相応の資産は残してやりたいと思っている。

【資産承継について】

　現在、Aさんの自宅と弟Eさんの旧宅（空き家）が建っている甲土地（地積800㎡）は、父親の相続により、Aさんと弟Eさんがそれぞれ各2分の1の共有持分で取得したものである。弟Eさんが所有していた持分は、甥Fさんが相続により取得している。Aさんはこの共有状態を将来の相続を見据えて解消しておきたいと考えている。

　Aさんは、X社に蓄えた余剰資金を利用して、所有しているX社株式のすべてを金庫株によりX社が買い取ることにすれば、甥Fさんが経営に必要な議決権割合を確保できるのではないかと思っている。あるいは、甥Fさんが所有している甲土地の持分とそれに見合うX社株式を交換することで、X社株式の移転と共有状態の解消を併せて実現できるのではないかと思っている。Aさんは、これらの方法に問題はないのかどうかアドバイスを求めている。

【Aさんの所有財産の概要】（相続税評価額、土地は小規模宅地等の評価減適用前）

1.	現預金	：	1億円	
2.	X社株式	：	3億600万円	
3.	甲土地（800㎡、甥Fさんとの共有）	：	8,000万円	（1/2の持分相当）
4.	自宅建物（築15年）	：	2,000万円	
5.	X社本社兼工房土地（600㎡）	：	1億1,000万円	（注）
6.	月極駐車場（400㎡）	：	5,000万円	
	合計	：	6億6,600万円	

※Aさんの相続に係る相続税額は、約2億円（配偶者の税額軽減・小規模宅地等の評価減適用前）と見積もられている。

（注）X社は土地の無償返還に関する届出書をAさんと連名で税務署に提出し、Aさんに通常の地代を支払っている。

【X社の概要】 資本金：5,000万円　会社規模：大会社　従業員数：72人　配当：実施なし
売上高：14億円　経常利益：6,000万円　純資産：10億円（余剰資金5億円、分配可能額9億円）
株主構成（発行済株式総数10万株）：Aさん51％、甥Fさん49％
株式の相続税評価額：類似業種比準価額6,000円／株、純資産価額10,000円／株
※X社株式は譲渡制限株式である。

（注）設例に関し、詳細な計算を行う必要はない。

検討のポイント

- 設例の顧客の相談内容および問題点として、どのようなことが考えられるか。
- それらの相談内容および問題点を解決するために、どのような提案・方策が考えられるか。
- それらの方策（解決策）のなかで、何を顧客に提案するか。その理由・留意点は何か。
- FPと職業倫理について、どのようなことが考えられるか。

【Aさんの推定相続人】

妻Bさん　（65歳）：専業主婦。Aさんと自宅で同居している。
長女Cさん（37歳）：専業主婦。これまでX社の経営に関与したことはない。会社員の夫と子の3人で夫所有の持家に住んでいる。
二女Dさん（34歳）：会社員。これまでX社の経営に関与したことはない。Aさんと自宅で同居している。

【親族関係図】

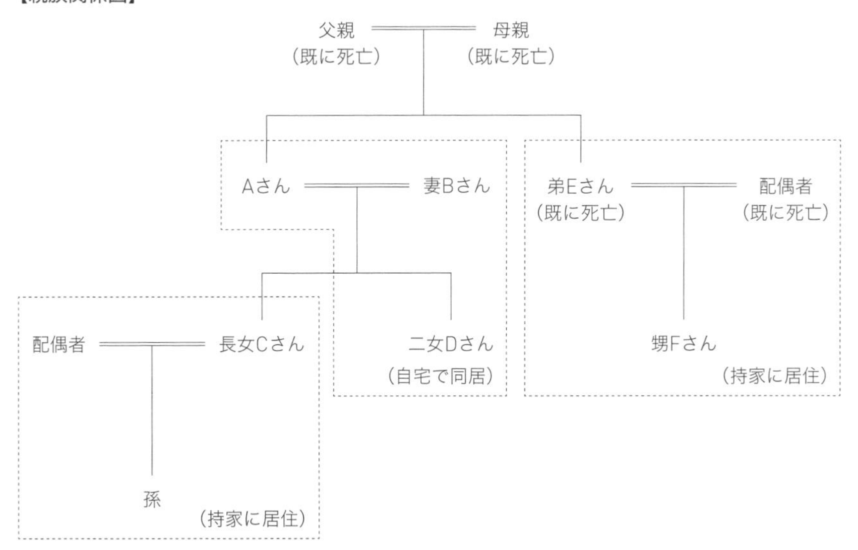

（メモ余白）

設例に対する検討と提案

受検者が検討すべき設例の顧客の相談内容および問題点

❶ 後継者である甥ＦさんにＸ社株式を集めるためにどのような提案・方策が考えられるか。
❷ 推定相続人である２人の子がＸ社の経営に関心がないものの、相応の資産を残してやりたい場合に、どのような提案・方策が考えられるか。
❸ 甥Ｆさんが所有している甲土地の持分とそれに見合うＸ社株式を交換することで、Ｘ社株式の移転と共有状態の解消を併せて実現できると考えているが、どのような問題点が考えられるか。
❹ 共有状態の不動産を解消するためにはどのような提案・方策が考えられるか。
❺ ＡさんのＸ社株式のすべてを金庫株によりＸ社が買い取ることにすれば、甥Ｆさんが経営に必要な議決権割合を確保できると考えているが、どのような問題点が考えられるか。
❻ 相続財産の評価減として、どのような提案・方策が考えられるか。
❼ 納税資金対策として、どのような提案・方策が考えられるか。
❽ Ｘ社株式の評価引下げ対策として、どのような提案・方策が考えられるか。
❾ 相続税の軽減対策として、どのような提案・方策が考えられるか。

相談内容および問題点を解決するための提案と方策

➜❶に対する提案例

後継者である甥Ｆさんへの事業承継として、甥ＦさんがＸ社の経営権を確保できるよう、Ａさんが保有しているＸ社株式を甥Ｆさんに移転することを提案します。

移転方法としては、贈与、相続、売買ならびにこれらの組合せが考えられます。

生前贈与をする場合において「非上場株式等についての贈与税の納税猶予および免除（特例）」を適用できれば、甥ＦさんがＡさんからの贈与により取得したすべての株式について納税猶予の対象とすることができます。

甥Ｆさんが保有を継続するなど一定要件を満たせば、Ａさんの相続時には猶予されていた贈与税は免除されます。なお、贈与税の納税猶予の対象とされたＸ社株式は相続税の対象となりますが、その際にも「非上場株式等についての相続税の納税猶予および免除（特例）」が適用できれば、Ｘ社株式にかかる相続税は納税猶予されます。

これらの特例は、特例承継計画を策定するなど所定の手続が必要で、所定の要件を継続できなかった場合は利子税と併せて猶予税額を納付する必要があるなどの縛りもありますので、X社の将来なども含め、特例を適用するかどうかを事前によく検討する必要があります。

✔解 説

いわゆる事業承継税制（非上場株式等についての相続税および贈与税の納税猶予および免除）は、従来からある一般措置と、2018年から10年間限定で適用される特例措置との2階建てとなっている。

まず、一般措置を確認したうえ、比較として特例措置を押さえておきたい。

ただし、特例措置は2026年3月31日までに特例承継計画を都道府県に提出し認定を受けなければならず、時間的な制約があるので注意が必要である。

なお、事業承継税制を利用する場合でも、事前にX社株式の評価引下げ対策をすることにより、納税猶予取消しに伴うリスクを減らしておくことも必要である。

【要点ポイントPart Ⅰ】非上場株式等に係る贈与税および相続税の納税猶予制度の「特例」と「一般」の比較

➔❷に対する提案例

Aさんが保有するX社株式の全部について、事業承継税制を利用して甥Fさんに贈与した場合、遺留分を侵害する可能性がありますので注意が必要です。

遺留分に関する民法特例により、Aさんの推定相続人の全員（妻Bさん、長女Cさん、二女Dさん）と書面によって合意し、経済産業大臣の確認を取り、家庭裁判所の許可を得ることによって、X社株式を遺留分の算定対象から除外する特例と、X社株式の評価額を合意時の評価額に固定する特例を適用することができます。

また、甥Fさんの相続財産に偏りが生じることによる争いを防ぐため、遺言書の作成を提案します。普通方式による遺言書の方式には3種類あり、中小企業の事業承継においては公正証書遺言が最適です。

✔解 説

X社株式の評価額（3億600万円）はAさんの相続財産合計の約半分を占めており、これをすべて甥Fさんが取得すれば他の相続人の遺留分を侵害する可能性がある。事業承継を提案する場合に、遺留分および遺留分に関する民法特例の理解は必須である。

なお、遺留分に関する民法特例を利用する場合でも、事前にX社株式の評価を引き下げることにより、遺留分算定基礎財産を減らしておく対策も必要である。

【要点ポイントPart Ⅰ】中小企業における経営の承継の円滑化に関する法律に伴う民法の特例

➔❸に対する提案例

甥Fさんが所有している甲土地の持分8,000万円とそれに見合うX社株式を交換すると、種類の異なる資産の交換ですので、それぞれに譲渡所得税がかかります。そのため、Aさんおよび甥Fさんは収入金額8,000万円から取得費および譲渡費用を控除したものに対して、20.315%（住民税、復興特別所得税含む）を乗じて、譲渡所得税額を計算します。

その際、Aさんも甥Fさんも交換取引からの現金収入はありませんので、納税資金を負担に感じるかもしれません。

譲渡所得税のかからない固定資産の交換の特例を活用するには、同種の固定資産を交換する必要があります。ただし、Aさん所有のX社本社兼工房土地の全部と交換しようとすると、交換譲渡資産と交換取得資産の差額がいずれか高いほうの20%を超えてしまい、固定資産の交換の特例が適用できなくなります。

そこで、Aさん所有のX社本社兼工房土地を分筆して、差額を20%以内としたうえで交換することをお勧めします。この交換により、AさんはX社からの地代収入が減るため、将来の相続財産の増大を抑制できるとともに、甥FさんはX社からの地代収入により資産形成することができます。

なお、X社本社兼工房土地を分筆後も、一体として利用している場合には、固定資産の交換の特例を否認されるリスクもありますので、注意が必要です。

✔解 説

共有者が保有している不動産と共有持分を交換する方法である。交換取引は譲渡所得税の対象となる。

ただし、固定資産を同じ種類の資産（土地と土地、建物と建物）と交換し、その取得資産を譲渡資産の譲渡直前と同一の用途に使用した場合には、交換で譲渡した資産はその譲渡がなかったものとして、課税が繰り延べられる。これを固定資産の交換の特例という。

ａ．交換譲渡資産の時価≦交換取得資産の時価
　…譲渡がなかったものとされる

ｂ．交換譲渡資産の時価＞交換取得資産の時価
　…差額部分（交換差金等）についてのみ譲渡があったものとされる

交換取得資産は交換譲渡資産の取得費や取得時期を引き継ぐ。

固定資産の交換の特例は次のすべての要件を満たす必要がある。

- 譲渡する資産は１年以上所有していた固定資産であること
- 取得する資産は相手方が１年以上所有していた固定資産であり、交換のために取得したものでないこと（棚卸資産、販売用資産である場合は不可）
- 取得資産と譲渡資産が同じ種類の固定資産であり、取得資産を譲渡資産の譲渡直前の用途と同一の用途に供すること
- 譲渡資産と取得資産の時価の差額が、いずれか高いほうの時価の20％以内であること

１つの資産の一部を交換し、他の部分を売買とした場合には、その売買代金を交換差金とする。

なお、交換差金の額が譲渡資産と取得資産のいずれか高いほうの時価の20％を超えているときは、交換した資産全体について固定資産の交換の特例は受けられない。

設例において、上記要件を満たしていることから、Ａさん所有のＸ社本社兼工房土地の一部と甥Ｆさん所有の甲土地の共有持分を交換する際、固定資産の交換の特例を適用できる可能性がある。

➔❹に対する提案例

甲土地について、Ａさんと甥Ｆさんの共有状態を解消する主な方法は以下のとおりです。

①甲土地を物理的に分割する、②甲土地を売却して分割する、③甥Ｆさんの持分をＡさんが買い取る、④共有持分を交換する、⑤いずれかの共有持分を放棄する、⑥他の共有者と分割方法で合意できないときは共有分割請求訴訟により強制的に共有状態を解消する。

甲土地の上にはＡさんの自宅と弟Ｅさんの旧宅（空き家）がありますので、今後の生活スタイルを踏まえて、共有状態を解消する手法のメリット・デメリットを比較して検討しましょう。

✔解 説

提案例①～⑥にそって解説していく。

①現物分割

共有名義の土地を分筆して、各共有者の単独名義の土地とする。共有持分に応ずる現物分割があった場合は、その土地の譲渡がなかったものとして、譲渡所得税が非課税となる。

分割されたそれぞれの土地の面積の比と共有持分の割合とが異なる場合であっても、分割後のそれぞれの土地の価額の比が共有持分の割合におおむね等しいときは、共有持分に応ずる現物分割として扱われる。

一方、共有時と分割後において土地の面積および時価が乖離する場合には、譲渡所得税および贈与税が課税される可能性がある。

設例において、甥Ｆさんが甲土地を活用して不動産収入を得たい場合には現物分割が適している。しかし、Ａさんにとって甲土地に思い入れがあり、隣の土地に第三者が居住等することを好まない場合は、現物分割は適していない。

②換価分割

共有状態にある土地を売却して、その売却代金を分割する方法である。共有状態の土地を売却する際に譲渡所得税がかかる可能性はあるが、売却代金を持分に応じて分ける際には税金はかからない。

換価分割は相場どおりの価格で不動産を売却しやすく、かつ、共有者全員に公平に分割できる手法である。しかし、不動産を手放すことになるため、思い入れのある土地や現在居住している場合には難しい。

設例において、甲土地にＡさん家族が居住しているため、転居する予定がない限り、換価分割は適さない。

③代償分割

共有者のうち特定の者が単独所有し、その代償としてその者が自己の固有財産を他の共有者に支払う方法である。つまり、共有者のうち１人が他の共有者の持分を買い取る方法である。

代償分割は、土地を取得した者の単独名義となるため、不動産を自由に活用できる。また、共有持分を手放した者は、まとまった現金を手に入れることができる。一方、土地を取得する者は買い取る資金を準備しないと実行できない。

設例において、Ａさんは甥Ｆさんの共有持分の土地を買い取ることはできるが、Ａさんの将来の相続を見据えると、分割しやすい現預金を減らすことは適切とはいえない。

④共有持分の交換

前述❸に対する提案例参照。

⑤共有持分の放棄

共有者が自分の持分を放棄することで、共有関係を解消する方法である。共有持分を放棄することで共有状態は解消できるが、他の共有者に贈与税がかかる可能性がある。また、共有持分を放棄するためには持分移転登記を行う必要があるが、登記申請は他の共有者と共同で行わなければならない。

設例において、甥Fさんに資金的余裕があり、現金化することに興味がない限り、適切な方法とはいえない。

⑥共有分割請求訴訟

他の共有者が共有状態の解消に応じない場合、裁判所を介して他の共有者に共有解消を求める方法である。裁判所が強制的に共有状態の解消方法を決定するため、他の共有者の合意を必要としない。具体的な解消方法は①〜③の現物分割、換価分割、代償分割のいずれかになることが多い。

設例において、Aさんと甥Fさんは揉めている状況にはないが、仮に話し合いで決まらない場合は、活用を検討する。

→❺に対する提案例

自己株式の取得、いわゆる金庫株は、分配可能額の範囲内で目的を定めずに取得することができます。X社の分配可能額は9億円で、余剰資金が5億円ありますので、一見すると、Aさん所有のX社株式3億600万円すべてを買い取ることができるようにみえます。

しかしながら、AさんはX社の中心的な同族株主に該当するため、税務上はX社を小会社とみなして、純資産価額による評価額を修正した価額で評価します。そのため、買取金額は5億1,000万円となり余剰資金では買い取ることができません。

✔解 説

個人が法人に株式を譲渡する価額として、所得税法の定める株式の時価は所得税法基本通達に規定されている。同通達59−6(2)には中心的な同族株主が発行会社の株式を譲渡または贈与したとき、当該発行会社は常に「小会社」として評価することになっている。

すなわち、中心的な同族株主が株式を譲渡する場合には、会社の規模によらず、小会社として評価しなければならない。したがって、原則として、純資産価額で評価することになる。

→❻に対する提案例

ご自宅の土地については妻Bさんか二女Dさんが相続で取得すれば330㎡まで80%減額の対象になりますが、長女Cさんが相続で取得しても現状では評価減は受けられません。

X社本社兼工房土地については、甥Fさんが相続で取得し、相続税の申告期限までX社の事業および土地の保有を継続すれば400㎡まで80%減額の対象になります。

月極駐車場については、アスファルトやコンクリートで舗装されていれば、土地の上に事業を営む構築物があるとみなされ、誰が相続で取得しても、相続税の申告期限まで貸付事業および土地の保有を継続することにより200㎡まで50％減額の対象になります。ただし、舗装されていない青空駐車場の場合は、小規模宅地等の特例の適用はできません。

なお、特定居住用宅地等（ご自宅）と特定事業用等宅地等（X社本社兼工房）とは完全併用できますが、貸付事業用宅地等（月極駐車場）とでは面積調整が必要になりますので、Aさんの場合、月極駐車場に適用するメリットは少ないと思われます。

✔解 説

【要点ポイントPartⅠ】小規模宅地等の特例

➜❼に対する提案例

相続税の課税対象となる死亡保険金については、「500万円×法定相続人の数」まで非課税とされていることから、生命保険の加入の有無を確認し、非課税限度額に余裕がある場合には、一時払い終身保険等への加入を提案します。

✔解 説

・第3問❺に対する提案例を参照

➜❽に対する提案例

Aさんの所有しているX社株式のすべてを金庫株にする場合であっても、X社株式の評価額は引き下げたほうがよいです。また、Aさんは数年のうちに勇退するつもりであるため、役員退職金を支給することによりX社株式の評価額引下げを提案します。適正な役員退職金を支給するために、役員退職金規程を整備し、株主総会議事録や取締役会議事録を揃えるようにします。

✔解 説

⑴　役員退職金（生前）を受領した者（Aさん）の課税関係

生前退職金は、退職所得として次の算式により計算される。

（収入金額—退職所得控除額）×1/2＝退職所得の金額

※特定役員退職手当等（勤続年数5年以下の役員等）は2分の1を適用しない

※2022年分以後の所得税等から、勤続（特定役員退職手当等に該当するものを除く）について、収入金額から退職所得控除額を控除した残額のうち300万円を超える部分の金額に2分の1を適用しないこととなった。
〈退職所得控除額〉
※勤続年数の1年未満の端数は切上げ
※障害者になったことに直接基因して退職した場合は100万円加算

(2) 役員退職金を支払った者（X社）の課税関係

法人が役員に支給した退職金は原則として損金となるが、不相当に高額な部分の金額は損金の額に算入されない。支給した役員退職金が不相当に高額か否かは、その役員の在職年数、その退職の事情、同じ事業を営む規模の類似する法人の役員退職金の支給状況等に照らして判断することとされており、適正額の目安となる代表的なものに功績倍率法「最終報酬月額×役員在任年数×功績倍率＝役員退職金の適正額」がある（役員退職給与規程を事前に整備しておくほうがよい）。

役員退職金の損金算入時期は、原則として、株主総会の決議等によって退職金の額が具体的に確定した日の属する事業年度となる。ただし、法人が役員退職金を実際に支払った事業年度において、損金経理をした場合は、その支払った事業年度において損金の額に算入することも認められる。

次のように、分掌変更によって役員としての地位や職務の内容が激変して、実質的に退職したと同様の事情にある場合に、退職金として支給したものは退職金として取り扱うことができる。

- 常勤役員が非常勤役員になったこと。ただし、常勤していなくても代表権があるなど、実質的にその法人の経営上主要な地位にある場合は除かれる。
- 取締役が監査役になったこと。ただし、監査役でありながら実質的にその法人の経営上主要な地位を占めている場合や、使用人兼務役員として認められない大株主である場合は除かれる。
- 分掌変更の後の役員の給与がおおむね50％以上減少したこと。ただし、分掌変更の後においても、その法人の経営上主要な地位を占めていると認められる場合は除かれる。

(3) 類似業種比準価額への影響

X社の会社規模は「大会社」であるので、X社の原則的評価方式による株価は、原則として類似業種比準価額である。

役員退職金を損金算入することにより、X社の1株（50円）当たりの年利益金額が減少するとともに、X社の1株（50円）当たりの簿価純資産価額も減少することから、類似業種比準価額を引き下げることができる。

ただし、類似業種比準価額は直前期末以前の数値を基礎として計算することから、引下げ効果が出るのは、役員退職金を損金算入した翌期以降になる。したがって、死亡退職金の場合には、相続税の課税価格の計算上、引下げ効果は見込めない。

(4) 純資産価額への影響

大会社であっても類似業種比準価額より純資産価額による株価のほうが低い場合には、純資産価額を採用することができる。

役員退職金を損金算入することにより、相続税評価額による純資産価額、帳簿価額による純資産価額のいずれも減少することから、純資産価額を引き下げることができる。

なお、純資産価額は課税時期で仮決算をして算出するのが原則であることから、役員退職金を損金算入した直後から引下げ効果が生まれる。また、被相続人の死亡により相続人等に支給することが確定した退職金は負債として計上できることから、死亡退職金でも相続税の課税価格の計算上、引下げ効果が見込まれる。

(5) 死亡退職金

Ａさんが生前に勇退しなかった場合には、適正額の死亡退職金および弔慰金を支給することで相続税の納税資金とすることができる。また、死亡退職金の支給は、Ｘ社株価の引下げ効果も見込まれる。

被相続人の死亡後３年以内に支給が確定した死亡退職金は、みなし相続財産として相続税の課税対象になるが、死亡保険金とは別枠で「500万円×法定相続人の数」まで非課税とされていることから、有効に活用することを検討する。

また、雇用主から遺族が受ける弔慰金・花輪代・葬祭料等については、次の金額まで非課税とされており、有効活用を検討する。

- 被相続人の死亡が業務上の場合…普通給与の３年分
- 被相続人の死亡が業務外の場合…普通給与の６ヵ月分

➔❾に対する提案例

Ａさんと甥Ｆさんの養子縁組を提案します。

これにより前述の小規模宅地等の評価減の選択肢が増えるほか、相続税の軽減効果も見込まれます。

✔解 説

甥Ｆさんを養子縁組した場合、「死亡生命保険金の非課税枠」「基礎控除額の増加」などの相続税の節税メリットがある。

⑴　養子縁組の手続

未成年者を養子にする場合、原則として家庭裁判所の許可が必要である。ただし、自己または配偶者の直系卑属（子や孫等）を養子とする場合は、家庭裁判所の許可は必要ない（養子または養親となる人が外国人の場合は、家庭裁判所の許可が必要となることがある)。

また、養親となる人に配偶者がいる場合は、原則として、夫婦がともに養親となる養子縁組をすることが必要となる。

⑵　養子縁組の一般的なメリット・デメリット

甥Ｆさんを養子にした場合のメリットは、生命保険金の非課税枠の増加、死亡退職金の非課税枠の増加、遺産に係る基礎控除額の増加、相続税の総額の減少などである。

デメリットは、養子縁組についてＡさんの親族が感情として許容できるかを考慮すべきである。また、養子縁組により他の相続人の相続分が減少し、養子縁組自体が相続争いの種になる可能性にも留意すべきである。

設例では、甥Ｆさんが X 社を承継することや長女Ｃさんと二女Ｄさんは X 社の経営に関わっていないことなどを考えると、甥Ｆさんを養子にする感情的なデメリットは少なく、前向きに検討すべきである。

なお、養子には普通養子と特別養子がある。

設例

Ａさん（70歳）は、一般貨物自動車運送業を営むＸ株式会社（非上場会社）の代表取締役社長である。創業45年のＸ社は、荷主との関係が良好で安定した物量を確保できており、業績は堅調に推移している。先日、Ｘ社の取締役営業部長を務める長男Ｃさん（42歳）が獲得した新たな荷主から、来期に大口の荷役業務の受注があり、Ａさんと長男Ｃさんは、車両置き場として使用している土地の一部を利用して新たな倉庫の建設を検討している。

【事業承継について】

Aさんは、5年後の創立50周年を機に、長男Cさんに事業を承継し、第一線から退くつもりでいる。長男Cさんの経営者としての資質に心配はない。ただ、燃料費の高騰など、今後の物流業界を取り巻く環境には危機感を感じている。特に労働力不足は深刻で、X社には現在75人の従業員がいるが、新たに採用ができなかった場合、5年後には70人を割り込む見込みである。

【資産承継について】

Aさんは、X社が所有している戸建ての役員社宅（土地・建物）に妻Bさん（68歳）と居住しており、X社を勇退後も引き続き住み慣れた社宅で暮らしたいと思っている。

また、長男CさんにX社関連の事業用資産を承継する代わりに、長女Dさん（40歳）には相応の金融資産を相続させたいと思っている。兄妹間で相続財産に偏りが生じるが、日頃の兄妹の関係性から遺産分割で争うことはないと思っている。

【Aさんの所有財産の概要】（相続税評価額）

1. 現預金	：	9,000万円	（役員退職金は考慮していない）
2. 有価証券	：	2,000万円	
3. X社株式	：	3億円	
4. X社への貸付金	：	1億円	
5. X社車両置き場（800㎡）	：	1億2,000万円	
合計	：	6億3,000万円	

※X社車両置き場は、アスファルトや砂利を敷いておらず、更地にロープを張っただけのいわゆる青空駐車場である。

※Aさんの相続に係る相続税額は、約1億9,000万円（配偶者の税額軽減適用前）と見積もられている。

【X社の概要】

資本金：5,000万円　会社規模：大会社　従業員数：75人　配当：毎期20円／株
売上高：15億円　経常利益：1億円　純資産　：8億円（余剰資金3億円）
株主構成（発行済株式総数10万株）：Aさん100%
株式の相続税評価額：類似業種比準価額3,000円／株、純資産価額8,000円／株
社　宅：土地200㎡・建物（土地建物合計：簿価8,000万円、時価6,000万円）
借入金：過去に運転資金1億円をAさんから借り入れ、返済を行っていない。
※X社株式は譲渡制限株式である。

（注）設例に関し、詳細な計算を行う必要はない。

検討のポイント

- 設例の顧客の相談内容および問題点として、どのようなことが考えられるか。
- それらの相談内容および問題点を解決するために、どのような提案・方策が考えられるか。
- それらの方策（解決策）のなかで、何を顧客に提案するか。その理由・留意点は何か。
- FPと職業倫理について、どのようなことが考えられるか。

【Aさんの家族構成（推定相続人）】
妻Bさん　（68歳）：専業主婦。AさんとX社所有の社宅で同居している。
長男Cさん（42歳）：X社の取締役営業部長。妻と子の3人で近隣の分譲マンションに住んでいる。
長女Dさん（40歳）：専業主婦。これまでX社の経営に関与したことはない。公務員の夫と2人の子の4人で隣県の賃貸マンションに住んでいる。

【親族関係図】

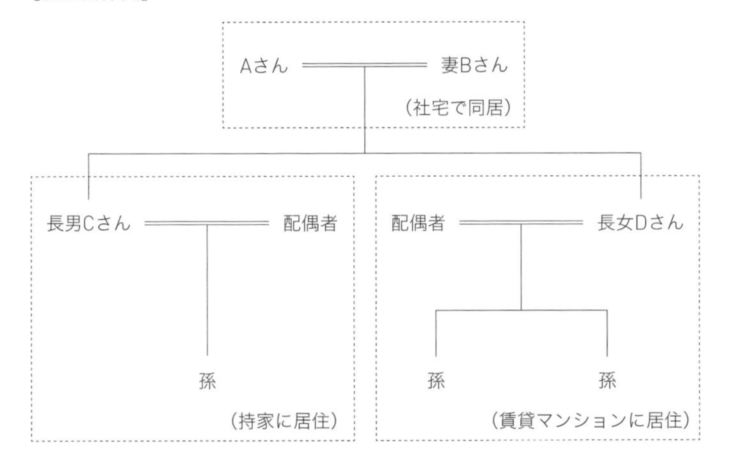

（メモ余白）

設例に対する検討と提案

受検者が検討すべき設例の顧客の相談内容および問題点

❶ X社には現在75人の従業員がいるが、新たに採用できなかった場合、5年後には70人を割り込む見込みであることから、どのような問題点が考えられるか。また、X社株式の評価引下げ対策としてどのような提案・方策が考えられるか。

❷ AさんはX社を引退後も、役員社宅に引き続き住みたいと思っているが、どのような提案・方策が考えられるか。

❸ 長男CさんにX社関連の事業用資産を承継させると、兄妹間で相続財産に偏りが生じてしまう。この問題点を解決するために、長女Dさんに相応の金融資産を相続させる方法としてどのようなものが考えられるか。

❹ 青空駐車場になっているX社車両置き場の一部を利用して新たな倉庫を建設するにあたって、どのような問題点が考えられるか。

❺ X社にはAさんからの借入金1億円が残っているが、これは相続に際してどのような問題点と考えられるか。また、役員借入金を解消するためにどのような提案・方策が考えられるか。

❻ 兄妹間で相続財産に偏りが生じる場合、どのような提案・方策が考えられるか。

❼ 納税資金対策として、どのような提案・方策が考えられるか。

相談内容および問題点を解決するための提案と方策

→❶に対する提案例

Aさんは5年後の創立50周年を機に長男Cさんへの事業承継を予定していますが、5年後には従業員数が70人を割り込む可能性があります。

従業員数が70人以上の場合は自社株式の評価上、類似業種比準価額で評価できますが、従業員数が70人を下回ると、純資産価額も加味して評価しなければならない場合もあるため、一般的に評価額は高くなります。

そのため、人材確保が難しい場合は、5年を待たずに事業承継したほうが、税金対策の面では有利となります。

また、毎期、利益が安定的に稼げている場合、配当金を無配にすることで自社株の評価額を低く抑えることができます。X社はAさんの100%株式保有であるため、配当を出すか出さないかはAさん単独で決められますが、配当金は総合課税の対象となるため、所得税が高くなります。

そこで、配当金を無配にしておき、事業承継直前に適切な役員退職金を支給するほうが、Ａさんの手元に残る金額は大きくなり、長男Ｃさんへの自社株を承継しやすくなります。

✔解 説

従業員数が70人以上の場合、取引相場のない株式の評価は「大会社」となるため、類似業種比準価額で評価する。一方、従業員数が70人を下回ると、「大会社」以外の「中会社」や「小会社」となる可能性もある。「中会社」および「小会社」は類似業種比準価額と純資産価額の折衷方式、もしくは、純資産価額方式で評価する。一般的に、純資産価額は類似業種比準価額より高くなる傾向にある。

設例のように、将来、従業員数が70人を下回りそうな場合、70人以上の時点で自社株を評価し、譲渡や贈与をしたほうが、評価額を低く抑えることができる可能性がある。

従業員を積極的に採用しても70人を下回りそうな場合は、M&Aにより人手を確保することも１つの方法である。

【要点ポイントPartⅠ】取引相場のない株式（自社株）の評価

➔❷に対する提案例

Ａさんの勇退時に役員退職金として、社宅を現物支給することを提案します。

社宅がＡさん所有の自宅になれば、Ａさんの相続時に「特定居住用宅地等」として小規模宅地等の評価減の適用を受けられる可能性があります。

✔解 説

創業45年の創業社長であるＡさんの役員退職金であれば相当額が見込まれるため、役員退職金の一部として社宅を現物支給する、または、現金支給した役員退職金を購入原資として、社宅をＡさんが買い取っても結果として同様である。その際に注意すべきことは、社宅の評価額（譲渡価額）は通常の取引価額（いわゆる「時価」）によらなければ次の問題が生じる。

①Ｘ社所有資産をＡさんに低額譲渡

- Ｘ社の課税関係

  時価で譲渡したものとされ、譲渡価額と時価との差額は役員給与（通常は損金不算入）とされる。

- Ａさんの課税関係

  譲渡価額と時価との差額は役員給与を支給されたものとして、所得税等が課される（通常は給与所得）。

②Ｘ社所有資産をＡさんに高額譲渡

・Ｘ社の課税関係

時価で譲渡したものとされ、譲渡価額と時価との差額を受贈益として計上する。

・Ａさんの課税関係

譲渡価額と時価との差額はＸ社に寄付したものとされ、取得した社宅は時価によって取得したものとして取り扱う。

また、会社と役員間の資産の売買は、会社法上の自己取引行為に該当するため、取締役会（または株主総会）の決議等の議事録や売買契約書を整備しておくこと、譲渡価額の根拠（できれば不動産鑑定士等に依頼）を明確にしておく必要がある。

【要点ポイントPartⅠ】小規模宅地等の特例

➔❸に対する提案例

Ａさんの所有するＸ社株式を分配可能額の範囲内でＸ社が買い取ることを提案します。Ｘ社は自己株式の取得（いわゆる「金庫株」）となります。これにより、Ａさんの所有財産のうち、金融資産が増えるため、長女Ｄさんに金融資産を相続させやすくなります。

また、相続税の課税対象となる死亡保険金については、「500万円×法定相続人の数」まで非課税とされていることから、生命保険の加入の有無を確認し、非課税限度額に余裕がある場合には、受取人を長女Ｄさんとした一時払い終身保険等への加入を提案します。

✔解 説

長女Ｄさんが法定相続分の遺産を相続した場合、Ａさんの所有財産のうち、４分の１を相続することになる。しかし、現時点でＡさんの所有財産の大半はＸ社の事業に関連したものであり、長男Ｃさんに相続させたいと考えている。

そのため、金庫株を活用して、自社株の一部を換金することにより、事業に関わらない長女Ｄさんにも金融資産を相続させることができる。

また、生命保険を活用すると、確実に長女Ｄさんに金融資産を相続させることができる。

【要点ポイントPartⅠ】相続財産に係る非上場株式をその発行会社に譲渡した場合のみなし配当課税の特例 3 金庫株制度

➔❹に対する提案例

青空駐車場は自用地として評価されるため、Ｘ社に貸していても相続税評価額は減額されません。一方、X社が倉庫を建設して事業に用いると、地主であるAさんの相続財産の評価において、当該土地は貸宅地として扱われるため、相続税評価額は減額されます。

また、当該土地が三大都市圏にあるなどの要件に該当すると、地積規模の大きな宅地として評価されます。

さらに、X社が倉庫を建設すると、購入後3年以内は通常の取引価額による評価となりますが、3年経過後は相続税評価額による評価が可能です。建物の相続税評価額は固定資産税評価額×1.0倍となります。建築当初の固定資産税評価額は一般的に建築資金の60％程度ですので、購入資金を全額金融機関からの借入金で賄うと、純資産を建築資金の40％程度減少させる効果をもたらします。

加えて、長男Cさんが相続で取得し、相続税の申告期限までX社の事業および土地の保有を継続すれば400㎡まで80％減額の対象になります。

✔解説

宅地価額の評価は、利用の単位となっている1画地の宅地ごとに評価する。複数の筆であっても1画地の宅地としてまとめて評価することもあれば、1筆であっても利用単位ごとに区分して評価することもある。

宅地等の評価方法には、路線価方式と倍率方式があり、そのいずれを採用するかは、宅地の所在地により国税局長が指定し、財産評価基準書に示されている。

路線価方式

自用地価額＝路線価×奥行価格補正率×地積

このほか、側方路線影響加算、二方路線影響加算、間口狭小補正、奥行長大補正、がけ地補正、不整形地補正、無道路地など、必要に応じて調整を加える。なお、路線価図において路線価は千円単位で表示され、接する路線が複数ある場合、路線価に奥行価格補正率を乗じた価額の最も高い路線が正面路線価になる。

倍率方式

自用地価額＝固定資産税評価額×倍率

〈貸宅地等の評価〉

①貸宅地（普通借地権の目的となっている宅地）と借地権

貸宅地の価額＝自用地価額×（1－借地権割合）

借地権の価額＝自用地価額×借地権割合

借地権割合は、地域ごとに国税局長が定め、路線価図等にアルファベットで記載されている（A：90%、B：80%、C：70%、D：60%、E：50%、F：40%、G：30%）。

②貸家建付地（アパート等の敷地）

貸家建付地の価額＝自用地価額×（1－借地権割合×借家権割合×賃貸割合）

借家権割合は国税局長が定め、30%となっている。すべての部屋を賃貸している（満室）場合の賃貸割合は100%となる。

なお、課税時期における一時的な空室部分は賃貸されているものとみなすことができる。

③貸家建付借地権

借地上にアパートが建っている場合のように、貸家の目的に供されている借地権の価額は、次の算式により評価する。

貸家建付借地権の価額＝自用地価額×借地権割合×（1－借家権割合×賃貸割合）

④使用貸借に係る宅地

無償（固定資産税程度の地代を授受している場合を含む）で貸し付けられている宅地には、たとえ家屋の所有を目的とする場合であっても、借地権は生じない（使用権の価額＝ゼロ）。この場合の宅地の評価は自用地の価額となる。

⑤無償返還の届出がある場合の宅地等（貸宅地）

建物の所有を目的として宅地を貸し付ける場合であっても、借地人が将来その宅地を無償で返還する旨を記載した「無償返還に関する届出書」を所轄税務署長に提出している場合は、借地権割合に関係なく、次の算式により評価する（借地権の価額＝ゼロ）。

貸宅地の価額＝自用地価額×0.8

〈地積規模の大きな宅地〉

地積規模の大きな宅地とは、三大都市圏においては500㎡以上の地積の宅地、それ以外の地域においては1,000㎡以上の地積の宅地をいう。

ただし、次のいずれかに該当するものは除かれる。

- 市街化調整区域（宅地分譲に係る開発行為を行うことができる区域を除く）に所在する宅地

- 都市計画法に規定する工業専用地域に所在する宅地
- 容積率が400%（東京都特別区においては300%）以上の地域に所在する宅地
- 評価通達22-２に定める大規模工場用地

地積規模の大きな宅地で、普通商業・併用住宅地区および普通住宅地区として定められた地域に所在するものの価額は、「奥行価格補正」「側方路線影響加算」「二方路線影響加算」「三方または四方路線影響加算」「不整形地の評価」の定めにより計算した価額に、その宅地の地積の規模に応じ、以下の算式により求めた「規模格差補正率」（小数点以下２位未満切捨て）を乗じて計算した価額によって評価する。

$$\text{規模格差補正率} = \frac{Ⓐ \times Ⓑ + Ⓒ}{\text{地積規模の大きな宅地の地積(Ⓐ)}} \times 0.8$$

上記式中のⒷおよびⒸは、地積規模の大きな宅地の所在する地域に応じて、それぞれの下表のとおりである。

【三大都市圏に所在する宅地】

地積	普通商業・併用住宅地区、普通住宅地区	
	Ⓑ	Ⓒ
500㎡以上 1,000㎡未満	0.95	25
1,000㎡以上 3,000㎡未満	0.90	75
3,000㎡以上 5,000㎡未満	0.85	225
5,000㎡以上	0.80	475

【三大都市圏以外の地域に所在する宅地】

地積	普通商業・併用住宅地区、普通住宅地区	
	Ⓑ	Ⓒ
1,000㎡以上 3,000㎡未満	0.90	100
3,000㎡以上 5,000㎡未満	0.85	250
5,000㎡以上	0.80	500

〈家屋の評価〉

家屋は原則として１棟ごとに評価する。評価の方法は次のとおりである。

①自用家屋

自用家屋の価額＝固定資産税評価額×1.0

なお、建物の構造上一体となっている電機設備や給排水設備等は家屋の評価額に含めて評価する。

②貸家

貸家の価額＝固定資産税評価額×（1－借家権割合×賃貸割合）

③借家権

借家権の価額は、その権利が権利金等の名称をもって取引される慣行のある地域を除き、相続税や贈与税の課税価格には算入しないこととなっている。

④建築中の建物

建築中の建物の価額＝費用現価(注)の額×70％

（注）課税時期までに建物に投下された費用の額を、課税時期の価額に引き直した額の合計額

【要点ポイントPart I】小規模宅地等の特例

→❺に対する提案例

Aさんに相続が発生すると、X社への貸付金も相続財産の一部となり、相続税の課税対象となります。そのため、遺産分割によって、事業に関わっていない長女Dさんが貸付金を相続してしまうと、いつX社に対して返済を迫ってくるかわかりません。事業を引き継ぐ長男Cさんからすると、事業に関与しない債権者を増やすことは望ましくないため、生前に役員借入金を解消しておきましょう。

具体的には、Aさんの役員報酬を減額する代わりに役員借入金を返済することを提案します。

✔解説

役員借入金を解消する主な方法は以下のとおりである。

⑴　役員に返済する

役員の手取りが変わらない水準で役員報酬を減額する代わりに役員に借入金を返済すると、役員の生活に与える影響はない。役員報酬は費用であり、役員報酬と連動して所得税や社会保険料が発生する。一方、役員借入金の返済は法人にとって負債の減少であり、損益に影響せず、役員個人の所得税や社会保険料にも影響しない。事業承継に向けて時間的猶予がある場合に適した方法である。

⑵ 債務免除

会社として返済が難しく、役員も返済を求めない場合に役員が借入金を放棄する方法である。この場合、会社には債務免除益が発生するため、繰越欠損金のある会社や役員退職金など多額の費用が想定される会社に適している。

⑶ DES（Debt Equity Swap）

DESとは、負債を資本に振り替えることである。DESを実施すると、債務超過の解消、自己資本比率の上昇など、財務体質が改善される効果がある。

⑷ 後継者に生前贈与

役員借入金を生前に後継者に暦年贈与する方法である。生前贈与することで、分割しやすい現預金を減らさずに相続財産を減らすことができる。

➔❻に対する提案例

兄妹間の関係性が良好であっても、相続財産が原因で争うことは避けたいので、備えとして遺言書の作成を提案します。普通方式の遺言には、自筆証書、公正証書、秘密証書の３種類がありますが、一般的に多く利用されるのは自筆証書と公正証書です。

自筆証書は、法律改正で財産目録の自筆が不要になるとともに、法務局による保管制度を利用すれば検認が不要になるなどメリットが増えたため、今後の利用者は増加すると思われます。

文章を書くのが苦手な方やご心配な方などは、公証人が作成する公正証書を利用すると、一定の費用がかかるものの、それ以上にメリットが大きいと思います。

自筆証書、公正証書それぞれに長所短所がありますので、ご自身にあった方法をご検討ください。

✔解 説

相続人が複数いる場合、現時点で円満だとしても遺産分割対策（争族対策）は考慮すべきであり、遺言書は遺産分割対策に有効である。それぞれの方式の長所短所を理解したうえ、遺言者にあった方法を提案する必要がある。

また、遺言書作成時には遺留分を考慮することも必須であろう。

遺留分を侵害した遺言書も法的には有効であるが、遺言書があること自体が相続人間の争いの火種にもなりかねないことに注意する必要がある。

【要点ポイントPartⅠ】遺言
【要点ポイントPartⅠ】遺留分

➜❼に対する提案例

相続税の課税対象となる死亡保険金については、「500万円×法定相続人の数」まで非課税とされていることから、生命保険の加入の有無を確認し、非課税限度額に余裕がある場合には、一時払い終身保険等への加入を提案します。

✔解 説

- 第３問❺に対する提案例を参照

MEMO

設例

Ａさん（50歳）は、大都市圏に所在する大手企業に勤務する会社員であり、郊外のＸ市内の分譲マンションで妻子とともに暮らしている。Ａさんの弟Ｄさん（46歳）は、郊外のＹ市内で妻とともに飲食店を営んでおり、Ｙ市内の賃貸マンションで暮らしている。

2024年６月、Ａさんの故郷である地方都市Ｓ市の実家で母親Ｃさんと２人で暮らしていた父親Ｂさんが病気により亡くなった。父親Ｂさんの法定相続人は、Ａさん、母親Ｃさん、弟Ｄさんの３人である。Ａさんが、四十九日法要を無事に終え、そろそろ父親Ｂさんの相続手続等に着手しなければならないと思っていたところ、病気を患っていた母親Ｃさんが、長年連れ添った配偶者を亡くしたことによる心労も重なり、2024年８月、後を追うように亡くなってしまった。

【相続手続について】

Aさんは、立て続けに相続が発生し、いつまでにどのような手続をすればよいのかよくわからない。ただ、母親Cさん名義の財産は1,000万円の普通預金のみであったため、母親Cさんの相続に係る相続税の申告は必要ないと思っている。先日、両親が取引していた金融機関を訪れた際、担当者から、「法定相続情報証明制度」を利用すると名義変更の手続を簡略化することができるとアドバイスされた。

なお、先日、Aさんが実家を整理していたところ、「私が所有するすべての財産を妻Cに相続させる」と書かれた父親Bさんの自筆証書遺言を発見した。母親Cさんは遺言書を残していなかった。

【遺産分割について】

遺産分割については、兄弟で話し合い、等分で相続することで合意した。ただし、父親の相続財産について、残されていた自筆証書遺言の内容と異なる分割をしても問題がないのか心配している。また、実家については、築45年が経過し、老朽化も激しく、兄弟いずれも今後S市に戻る予定はないことから、敷地とともに売却し、売却資金も等分することにした。S市の不動産業者に相談したところ、「実家の敷地は、ちょうどS市内で2025年3月までに土地を購入したいと言っている人が希望している立地や広さに合致している」とのことで、6,500万円程度で売却できる見込みとのことである。

【父親Bさんの相続財産の概要】（相続税評価額、土地は小規模宅地等の評価減適用前）

1. 現預金	：	8,000万円
2. 有価証券	：	4,000万円
3. 自宅（Aさんの実家）		
①土地（300㎡）	：	6,000万円
②建物（1977年築）	：	200万円
合計	：	1億8,200万円

※父親Bさんの相続に係る相続税額は、約2,300万円（配偶者の税額軽減・小規模宅地等の評価減適用前）と試算されている。

（注）設例に関し、詳細な計算を行う必要はない。

検討のポイント

- 設例の顧客の相談内容および問題点として、どのようなことが考えられるか。
- それらの相談内容および問題点を解決するために、どのような提案・方策が考えられるか。
- それらの方策（解決策）のなかで、何を顧客に提案するか。その理由・留意点は何か。
- FPと職業倫理について、どのようなことが考えられるか。

【親族関係図】

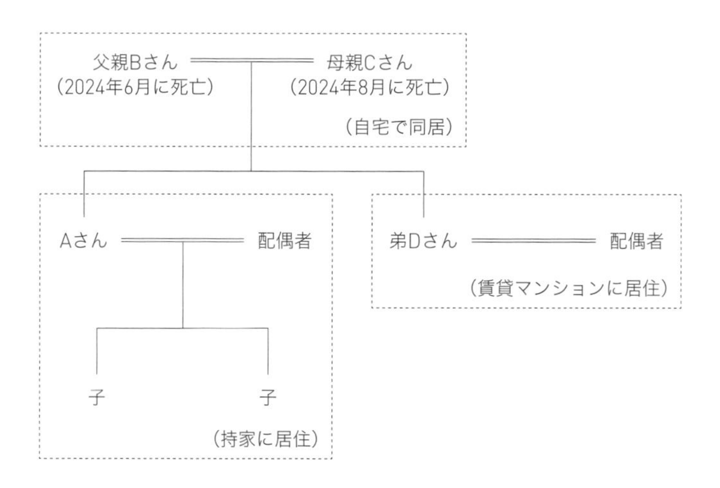

（メモ余白）

設例に対する検討と提案

受検者が検討すべき設例の顧客の相談内容および問題点

❶ 父親Bさんに続いて母親Cさんも他界したが、Aさんは、母親Cさんの相続に係る相続税の申告は必要ないと思っていることについて、どのような提案・方策が考えられるか。
❷ 相続手続として、いつまでにどのような手続を行えばよいかわからないことについて、どのような提案・方策が考えられるか。
❸「法定相続情報証明制度」とは、どのような制度か。
❹ 遺産分割協議書の書き方について、どのような提案・方策が考えられるか。
❺ 遺産分割方法について、どのような提案・方策が考えられるか。
❻ 実家などの相続財産を売却する際に、どのような提案・方策が考えられるか。

相談内容および問題点を解決するための提案と方策

→❶に対する提案例

父親Bさんの相続については、本来は相続人である母親Cさん、Aさん、弟Dさんの3人で遺産分割協議をしますが、遺産分割協議書作成前に母親Cさんが亡くなられていますので、代わりに母親Cさんの相続人であるAさんと弟Dさんで父親Bさんの遺産分割を協議することになります。

母親Cさんの相続については、相続人であるAさんと弟Dさんで遺産分割協議をすることになります。

結論として、いずれの遺産分割協議もAさんと弟Dさんの2人で行うことになりますので、遺産分割協議書は別々に作成することも、まとめて作成することもできます。

なお、父親Bさんの遺産を母親Cさんがいくら取得することになったかによって、相続税負担は大幅に変わってきますので、綿密なシミュレーションが必要です。

✔解 説

設例のように、最初の相続が開始した後、遺産分割協議が終わる前に相続人のいずれかが死亡して次の相続が開始することを「数次相続」という。

父親Bさんの遺産はいったん母親Cさん、Aさん、弟Dさんの3人で遺産分割(一次相続)する。その後、母親Cさんが死亡した際には、母親Cさんが取得した財産と母親Cさんの固有財産(設例では普通預金1,000万円)の合計をAさんと弟Dさんで遺産分割(二次相続)することになる。

したがって、相続開始前にすでに相続人が死亡等している「代襲相続」とは異なり、母親Cさんの遺産をAさんと弟Dさんが直接相続取得することはできない。

設例の場合、母親Cさんの相続における基礎控除額は4,200万円（3,000万円＋600万円×２人）で、母親Cさんの固有財産が1,000万円なので、父親Bさんからの遺産取得を相続税負担後で3,200万円（4,200万円－1,000万円）以下にすれば、母親Cさんの相続税申告は不要である。仮に、父親Bさんの相続において、配偶者控除の税額の軽減および小規模宅地等の特例を考慮したとして遺産分割すると、母親Cさんの相続税申告が必要になるかもしれないが、一方で一次相続および二次相続全体の相続税額の軽減を図ることができる。

本試験では「設例に関し、詳細な計算を行う必要はない」旨の指示があるため、どちらが有利か計算する必要はない。

→❷に対する提案例

自筆証書遺言がある場合には、家庭裁判所の検認が必要になります。まずは遺言書の検認手続を進めてください。ただし、法務局の自筆証書遺言保管制度を利用している場合には検認は必要ありません。なお、封印のある遺言書は開封しないで家庭裁判所で開封してください。開封してしまっても遺言書が無効になることはありませんが、法的には過料が課される可能性があります（実務的に過料が課されるのは稀）。

相続関係の手続で最初に期限がくるのは相続の放棄等です。

本件では必要ないと思われますが、もし相続の放棄または限定承認をする場合は、相続開始があったことを知った時から、原則として３ヵ月以内に家庭裁判所に申述する必要があります。

次に期限がくるのが所得税の準確定申告です。

父親Bさんは事業を営んでおりませんが、年金受給者であったと思われます。年金受給者であっても、公的年金等の収入金額が400万円超または、公的年金等以外の所得が20万円超の場合は、相続開始があったことを知った日の翌日から４ヵ月以内に準確定申告が必要です。

遺言書の検認が終了したら、遺言書に記載されている財産債務については、その遺言書の内容に従って普通預金や定期預金は各金融機関で、不動産は法務局で名義変更手続をすることになります。

各金融機関の手続はご自身で行う方も多いのですが、不動産の名義変更手続は作成する書類等も煩雑なため、司法書士に依頼される方が多いと思われます。また、相続関係の手続をまとめて信託銀行や司法書士等に依頼（いわゆる遺産整理業務）する方もいらっしゃいます。必要書類は検認済みの遺言書のほか、被相続人の戸籍謄本なども必要となりますので、漏れがないよう事前に各機関にご確認ください。

遺言書に記載されていない財産債務がある場合は、その財産債務についてどなたが相続されるか遺産分割協議書を作成する必要があります。また、遺言書がある場合でもAさんと弟Dさんが協議のうえ、遺言書と別の分割をすることも可能です。この場合も遺産分割協議書を作成します。

相続税の課税価格の合計額が基礎控除額を超える場合には、相続開始があったことを知った日の翌日から10ヵ月以内に相続税の申告書を提出しなければなりません。本件では、相続税額は約2,300万円（配偶者の税額軽減・小規模宅地等の評価減適用前）と試算されていますので、相続税の申告が必要となります。

✔解 説

(1) 遺言書の検認

遺言書の保管者または発見した相続人は、遅滞なく遺言書を家庭裁判所に提出して検認を請求しなければならない（公正証書遺言または法務局による自筆証書遺言保管制度を利用している場合は検認不要）。

検認を請求する先は、遺言者の最後の住所地の家庭裁判所である。

検認を請求すると裁判所からは相続人に対して検認期日の通知が送られてくる。申立人以外の相続人が検認期日に出席するか否かは任意であり、相続人全員が揃わなくても検認手続は有効に進められる。

【要点ポイントPartⅠ】遺言

→❸に対する提案例

不動産登記や金融機関の各種手続には、相続人を確認するために、父親Bさんの出生から亡くなるまで一連の戸籍等を提出または提示しますが、「法定相続情報一覧図」を作成すればそれで代用できます。法務局で作成手続をします。手数料は無料です。

ご自身で作成することもできますし、司法書士等の専門家に依頼することもできます。

✔解 説

法定相続情報証明制度とは、被相続人の法定相続人とそれぞれの続柄を証明するための制度である。この制度による「法定相続情報一覧図」は、法定相続人が誰で、その法定相続人が被相続人とどのような続柄（夫、妻、長男、長女など）かを一覧にした図である。

従来、預貯金の名義変更（銀行等）、株式等の名義変更（証券会社等）、不動産の名義変更（法務局）、自動車の名義変更（運輸支局）、相続税の申告（税務署）など相続手続をするためには、手続先ごとに、相続人の確認書類として、被相続人の出生から死亡まで一連の戸籍等（通常は大量になる）を用意しなければならなかった。しかし、一連の戸籍等を１セット用意し「法定相続情報一覧図」を作成してしまえば、その写しにより法定相続人等の確認ができるため、手続先ごとに大量の書類を用意する必要がなくなる。なお、この制度の利用は任意のため、被相続人の一連の戸籍等が大量とならない場合や、手続先が少数な場合には、「法定相続情報一覧図」を作成せず従来どおりの方法で問題はない。

なお、法定相続情報証明制度の具体的な手続は次のとおりである。

①必要書類の収集

〈必ず用意する書類〉

- 被相続人の除籍謄本
- 被相続人の住民票の除票
- 相続人の戸籍謄抄本
- 申出人（相続人の代表となって手続を進める者）の氏名・住所を確認できる公的書類

〈必要となる場合がある書類〉

- 「法定相続情報一覧図」に相続人の住所を記載する場合は、各相続人の住民票の写し
- 親族代理人が申出の手続をする場合は、委任状および申出人と代理人が親族関係にあることがわかる戸籍謄本
- 資格者代理人（弁護士、司法書士、土地家屋調査士、税理士、社会保険労務士、弁理士、海事代理人、行政書士）が申出の手続をする場合は、委任状および資格者代理人団体所定の身分証明書の写し等
- 被相続人の住民票の除票を取得することができない場合は、被相続人の戸籍の附票

②「法定相続情報一覧図」の作成

被相続人および戸籍の記載から判明する相続人を一覧にした図を作成する。法務局のホームページに様式（Excel）と記載例があるので、これを利用すれば比較的簡便に作成できる。

③申出書の記入、登記所への申出

申出書に必要事項を記入し、必要書類、作成した「法定相続情報一覧図」と併せて申出をする。法務局のホームページに様式（Word）と記載例があるので、これを利用すれば比較的簡便に作成できる。

また、申出をする登記所については、以下の地を管轄する登記所のいずれかを選択することができる。

- 被相続人の本籍地
- 被相続人の最後の住所地
- 申出人の住所地
- 被相続人名義の不動産の所在地

なお、申出や「法定相続情報一覧図」の写しの交付は、登記所に直接行くほか郵送も可能である。

→❹に対する提案例

後日の紛争を避けるために遺産分割協議書を書面で作成することを提案します。遺産分割は相続人間で合意すれば、遺言の内容と異なる分割をしても問題ありません。

✔解 説

遺産分割協議書を作成する際の注意点は次のとおりである。

- 相続人の全員が参加し、かつ、同意したものであること
- 夫が死亡し、妻と子（未成年者）が相続人であるような場合には、その子のために家庭裁判所で特別代理人を選任してもらい、その特別代理人がその未成年者に代わって分割協議を行う
- 相続税の配偶者控除や小規模宅地等の評価減の特例の適用を受けるためには、原則として相続税の申告期限までに分割協議をしなければならない
- 押印する印章は実印
- 不動産の相続登記をする場合には、遺言書がある場合を除き、登記所に遺産分割協議書を提出
- 遺産分割割合は法定相続分に従わなくてもかまわない

→❺に対する提案例

遺産分割には主に現物分割、換価分割、代償分割の３つがあります。現物分割では相続人間で不公平が生じる場合がありますので、換価分割や代償分割も組み合わせて相続人間で合意できる遺産分割を行います。

なお、不動産の換価分割を行う際には、相続開始時点で共有取得済みの財産を売却する行為となるため、譲渡所得税の対象となります。換価時に分割割合（取得割合）が確定しておらず、後日分割する場合は、原則として法定相続分により分割したものとして譲渡所得税を計算します。

✔解 説

遺産の分割方法には次の３つがある。

①現物分割

個別特定財産について、相続する数量・金額・割合を定めて分割する方法

②換価分割

共同相続人が相続によって取得した財産の全部または一部を金銭に換価し、その換価代金を分割する方法

③代償分割

共同相続人のうち特定の者が被相続人の遺産を取得し、その代償として取得した者が自分の固有財産を他の相続人に支払う方法

代償分割によって取得した代償財産は、被相続人から承継取得したものではないが、遺産の分割協議により発生した債権に基づいた取得であり、実質的には相続によって取得したのと同様であるため、相続税の課税対象となる。

代償財産とするものが現金ではなく、土地や家屋のように譲渡所得の課税対象となる資産であるときは、その代償財産を時価で譲渡したものとして、代償財産を交付した者に対して譲渡所得税が課される。

→❻に対する提案例

ご実家の売却について、その譲渡所得の計算上3,000万円の特別控除（被相続人の居住用財産（空き家）の譲渡所得の特別控除）が適用できる可能性がありますが、他の用途に供してしまったり、建物を除却しないでそのまま売却すると適用が受けられなくなるなど、適用要件が複雑なので注意が必要です。

被相続人の居住用財産（空き家）の譲渡所得の特別控除は相続人がＡさんでも弟Ｄさんでも適用できます。一方、小規模宅地等の特例との併用は弟Ｄさんしかできません。

具体的には、弟Ｄさんは相続開始時点で賃貸マンションにお住まいですので、相続で取得するご実家の土地が特定居住用宅地等に該当し、80％減額の対象になる可能性があります。しかし、この規定を適用するためには、相続税の申告期限（2025年４月）まで保有を継続する必要があります。不動産業者の話どおり2025年３月までに売却してしまうと、80％減額が適用できませんので慎重にご検討ください。

また、相続または遺贈により取得した土地、建物、株式などの財産を相続開始のあった日の翌日から相続税の申告期限の翌日以後３年を経過する日までに譲渡した場合に、相続税額のうち一定金額を譲渡資産の取得費に加算することができます。ただし、被相続人の居住用財産（空き家）の譲渡所得の特別控除と相続税の取得費加算の特例の併用はできません。

相続税の申告期限までに換価分割しようとして急いで売却すると、相場よりも割安で手放さざるを得ないこともありますので、時間をかけて売却先を

探すことを提案します。

✔解説

相続人が2027年12月31日までに、相続開始直前において被相続人のみが居住（要介護認定を受け、被相続人が老人ホーム等に入居していた場合を含む）しており、被相続人が所有していた家屋およびその敷地を相続または遺贈により取得し譲渡した場合、その譲渡所得の計算上3,000万円の特別控除をすることができる。

設例の場合、数次相続が発生しているので、自宅の名義を父親Ｂさんから母親Ｃさんに相続した後、弟Ｄさんが相続すると、相続時に小規模宅地等の特例を適用し、売却時に被相続人の居住用財産（空き家）の譲渡所得の特別控除が適用できる。

【要点ポイントPartⅡ】居住用財産を譲渡した場合の特例 4 空き家に係る譲渡所得の特別控除の特例

MEMO

設例

　Ａさん（72歳）は、自動車部品製造業を営むＸ株式会社の代表取締役社長である。Ｘ社は、Ａさんが40年前に創業して以来、自動車産業の隆盛とともに成長してきた。Ｘ社の余剰資金は５億円以上あり、経営は安定している。しかし、自動車業界がCASEに代表される100年に一度の大変革に直面するなか、Ａさんはこれまでどおりの事業を維持していくことができるのか強い危機感を抱いている。

【事業承継について】

　Aさんは、自身の年齢のことも考え、そろそろ後進に道を譲るつもりでいる。後継者として5年前にX社に入社した長男Cさん（45歳）は、取締役工場長として懸命に打ち込む姿勢から社内の人望も厚く、次期経営者として申し分ない。ただ、Aさんは、中長期的には事業縮小や業態転換、M&Aなど、あらゆる選択肢を検討すべきと考えている。なお、顧問税理士によれば、Aさんの退任時、2億円程度の役員退職金が支給可能とのことである。

　X社株式は、現在、Aさんが90%所有しており、これをどのように長男Cさんに移転させるかが大きな課題となっている。また、Aさんの弟Eさんが残りの10%を所有している。弟Eさんは、X社の取締役管理部長であるが、Aさんの退任とともに自身も身を引くつもりであり、その際には、所有しているX社株式を買い取ってほしいとのことである。

【資産承継について】

　Aさんは、自宅兼賃貸ビルを、現在一緒に暮らしている妻Bさん（70歳）に相続させるつもりである。また、長女Dさん（42歳）からは、X社の経営には興味はないが、将来的には現在遊休地となっているX社所有の土地（時価1億5,000万円、含み損5,000万円）をもらいたいと言われており、Aさんはこれに応じるつもりである。

【Aさんの所有財産の概要】（相続税評価額、土地は小規模宅地等の評価減適用前）

1. 現預金	：	1億4,000万円	（役員退職金は考慮していない）
2. X社株式	：	2億7,000万円	
3. 自宅兼賃貸ビル			
①土地（360㎡）	：	9,000万円	
②建物（3階建て）	：	6,000万円	（1・2階賃貸、3階住居、各階同一面積）
合計	：	5億6,000万円	

※Aさんの相続に係る相続税額は、約1億6,000万円（配偶者の税額軽減・小規模宅地等の評価減適用前）と見積もられている。

【X社の概要】

資本金：3,000万円　会社規模：大会社　従業員数：90人
売上高：20億円　経常利益：8,000万円　純資産　：6億円
株主構成（発行済株式総数6万株）：Aさん90%、弟Eさん10%
株式の相続税評価額：類似業種比準価額5,000円／株、純資産価額10,000円／株
※X社株式は譲渡制限株式である。

（注）設例に関し、詳細な計算を行う必要はない。

検討のポイント

- 設例の顧客の相談内容および問題点として、どのようなことが考えられるか。
- それらの相談内容および問題点を解決するために、どのような提案・方策が考えられるか。
- それらの方策（解決策）のなかで、何を顧客に提案するか。その理由・留意点は何か。
- FPと職業倫理について、どのようなことが考えられるか。

【Aさんの推定相続人】

妻Bさん　（70歳）：専業主婦。Aさんと自宅で同居している。
長男Cさん（45歳）：X社の取締役工場長。妻と2人の子の4人で持家に住んでいる。
長女Dさん（42歳）：専業主婦。これまでX社の経営に関与したことはない。会社員の夫と2人の子の4人で賃貸マンションに住んでいる。

【親族関係図】

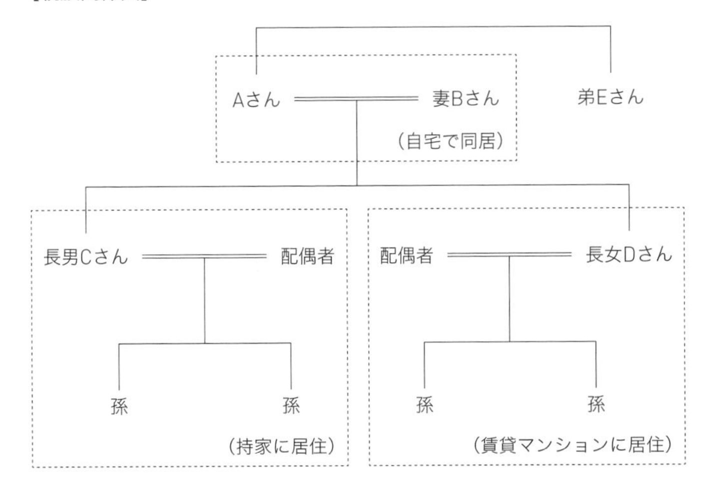

（メモ余白）

設例に対する検討と提案

受検者が検討すべき設例の顧客の相談内容および問題点

❶ 長男Cさんは次期後継者として申し分ないものの、Aさんはこれまでどおりの事業を維持していくことができるのか強い危機感を抱いている。そのため、中長期的には事業縮小や業態転換、M&Aなど、あらゆる選択肢を検討すべきと考えている。このとき、どのような提案・方策が考えられるか。

❷ Aさんが所有している90%の自社株を長男Cさんに移転させるために、どのような提案・方策が考えられるか。

❸ 弟Eさんは Aさんの退任とともに自身も身を引くつもりであり、所有しているX社株式を買い取ってほしいと考えている。この場合、どのような提案・方策が考えられるか。

❹ 現在遊休地となっているX社所有の土地（時価1億5,000万円、含み損5,000万円）を長女Dさんに譲る点について、どのようなことが考えられるか。

❺ 相続財産の評価減として、どのような提案・方策が考えられるか。

❻ 自宅兼賃貸ビルを妻Bさんに相続させるために、どのような提案・方策が考えられるか。

❼ 納税資金対策として、どのような提案・方策が考えられるか。

相談内容および問題点を解決するための提案と方策

➔❶に対する提案例

長男Cさんには、X社を承継する意思があるか否かを再度確認することを提案します。そのうえで、事業縮小や業態転換、M&Aなどについて、メリット・デメリットを確認し最善の方法を検討します。

M&Aには、合併、株式交換・移転、会社分割、株式譲渡・事業譲渡などの種類がありますが、なかでも比較的容易な株式譲渡によるM&Aが中小企業では多く行われています。

X社には該当しないと思いますが、債務超過に陥る前に清算（廃業）する会社もあります。

✔解 説

(1)　親族内承継の検討

親族外承継やM&Aが増加したとはいえ、やはり親族内承継が多数を占めているのが現状である。後日の紛争を避けるためにも、まずは長男Cさんの意思を確認したうえで、親族内の事業承継を検討する。

⑵　親族外承継の検討

経営者が子の自由を尊重する傾向や少子化などにより、親族内での後継者確保が困難になっていることなどから、親族外承継の割合は増加傾向にある。

親族外で後継者を選定する場合、特に留意したいのは、事業を継ぐ意思がないと思っていた子が突然「事業を継ぎたい」と言いだすことがないよう、あらかじめ親族の意向をよく確認すること、他の従業員や取引先が納得できるような人望の厚い人を選ぶことなどである。たとえば、親族外から後継者を選定する場合、まず従業員など社内で適当な人材を探し、社内にも後継者候補がいない場合に、取引先や金融機関等の社外から次期社長含みで人材を招き、入社数年後に承継するケースもある。

親族外承継において検討すべき大きな要素に、会社の所有（株式）と経営を分離するか否かがある。Ａさんの場合、株式はＡさん一族が所有したまま経営のみ親族外の後継者に任せる（所有と経営を分離する）のか、株式も後継者に移転し所有と経営を一致させるか否かを検討する。

株式会社本来の仕組みとして所有と経営が分離していてもなんら問題ない。しかし、中小企業において、所有（株式）と経営が一致していない経営者の立場は不安定であることを考慮し、株式も後継者に移転するケースが多いと思われる。

移転方法としては、贈与、遺贈、売買などが考えられ、贈与または遺贈する場合は一定の要件のもと、事業承継税制の適用も可能である。

売買の場合、後継者がオーナーから自社株を買い取る資力がないことや、オーナーの個人保証・担保を引き継ぐことが問題になることもあるため、後継者への給与の増額や会社債務の圧縮などの対応を計画的に行う必要がある。また、オーナーの退職に伴い役員退職金を支給することにより会社財産を減少させ、株式の譲渡価額を調整する等の対応も必要である。

自社株の買取りについては「MBO（マネジメント・バイ・アウト）」が有効な場合もある。MBOとは、会社の経営陣が事業継続を前提として、オーナーから株式を買い取り、経営権を取得することをいう。株式の買取資金は経営陣が持ち寄る資金のほか、会社自体の財産や会社の将来の収益を担保とした金融機関からの融資、投資会社からの出資などによって補うことも考えられ、経営陣の能力と将来性次第では、少ない元手でMBOを実施することが可能となる。

⑶　M&Ａ（株式譲渡）の検討

親族外でも後継者がいない場合には、M&Ａを検討する。

M&Ａには、合併、株式交換・移転、会社分割、株式譲渡・事業譲渡などの種類があり、なかでも比較的容易な株式譲渡によるM&Ａが中小企業では多く行われている。

M&Ａ（株式譲渡）は、譲渡の相手が後継者以外ではあるが、株式を譲渡するという行為自体は前記と同様であり、役員退職金の支給により株式の譲渡価額を調整するなども同様である。一般的には清算（廃業）する場合よりも税負担は軽くなる（後述(6)参照）。

一方で、事前にM&Aの情報が洩れることにより、M&Aそのものが破談になることや、従業員の士気等にも影響するため、秘密保持がM&Aの要となる。

一般的なM&A（株式譲渡）の流れは次のとおりである。

①仲介機関を選択する
②事業評価、売却条件を検討する
③ノンネーム情報によりマッチング候補先を探す
④候補先とのトップ会談および交渉
⑤基本合意書の締結
⑥買受け側によるデューデリジェンス（事業調査）
⑦最終契約の締結

(4) 事業縮小の検討

短期間で事業縮小するには、会社分割や事業譲渡を行い、自社にとって将来性のない事業を切り離すことである。第三者に事業を引き継いでもらえれば、従業員の雇用も継続される可能性が高い。

一方、M&Aの手法を活用せず、自社単独で事業を縮小しようとすると、人員削減が必要となる。定年退職による従業員数の減少に併せて事業を縮小する場合は問題にならないが、短期に人員削減をするには整理解雇が必要となる。

整理解雇とは企業が経営不振となった場合に、事業継続のためにやむを得ず行うものであり、「人員削減の必要性」「解雇回避の努力」「人選の合理性」「解雇手続の妥当性」の4要件を満たさなければならない。

ただし、整理解雇は従業員に与える影響が大きいため、整理解雇を行う前に早期希望退職者募集や退職勧奨を行うことが求められる。

(5) 業態転換の検討

業態転換とは、主たる業種または主たる事業を変更することなく、新たな製品を製造し、新たな市場に進出することなどをいう。

似たような言葉に事業転換、業種転換がある。事業転換とは、新たな製品を製造することにより、主たる業種を変更することなく、主たる事業を変更することを指す。業種転換とは新たな製品を製造することなどにより、主たる業種を変更することである。

いずれにしても、業態転換等を図って新たなチャレンジを行う際に、自社にノウハウのない事業はリスクが高いため、M&Aを活用して、買収や事業譲受を行うこともある。

⑹　清算（廃業）の検討

この設例においては関係ないが、一般的にM&Aでも承継先（譲渡先）が見つからない場合には、清算（廃業）を検討する。

たとえば、X社が固定資産を売却・換金し、譲渡益が生じたとすると、その譲渡益に対し法人税等が課される（約37％程度）。

従業員に対する退職金その他の債務を整理し、残余財産を株主に分配した場合は、資本金等の額を超える金額は配当所得（みなし配当）として超過累進税率（配当控除の適用あり）により総合課税される。清算前にAさんに適正額の役員退職金を支給することにより、清算に伴う分配金が減少するため、一般的に税負担は減少し、手取額が増加する。

急な廃業に伴い取引先や従業員に迷惑がかからないよう、清算までの計画を策定し周知するが、周知により取引先や従業員の維持およびモチベーション等に影響することを考慮し、周知時期は慎重に検討する。

取引先（販売先）については、必要に応じX社製品の代替製品を紹介することも検討し、X社独自の技術による代替製品等がない場合は、同業者による当該技術および取引先の承継等も検討する。

従業員について転職支援、同業者紹介、退職金の割増支給、失業保険の手続支援等の態勢を整えることも重要である。

→❷に対する提案例

後継者である長男Cさんが X社の経営権を確保できるよう、Aさんが保有しているX社株式を長男Cさんに移転する方法として、生前贈与、遺言による遺贈、譲渡を比較検討します。

生前贈与をする場合、非上場株式等についての贈与税の納税猶予および免除（特例）を適用できれば、長男CさんがAさんからの贈与により取得したすべての株式について納税猶予の対象とすることができます。

長男Cさんが保有を継続するなど一定要件を満たせば、Aさんの相続時には猶予されていた贈与税は免除されます。なお、贈与税の納税猶予の対象とされたX社株式は相続税の対象となりますが、その際にも非上場株式等についての相続税の納税猶予および免除（特例）が適用できれば、X社株式にかかる相続税は納税猶予されます。

これらの規定には、特例承継計画を策定するなど所定の手続が不可欠で、所定の要件を継続できなかった場合は利子税と併せて猶予税額を納付しなければならないなどの縛りもあります。X社の将来性なども含め、特例を適用するかどうかは事前によく検討する必要があります。

✔解説

経営権を確保するためには、少なくとも議決権の過半数、できれば株主総会の特別決議に必要な３分の２を後継者である長男Ｃさんが保有する状態が望ましい。

⑴　生前贈与による場合

次のことを総合的に検討のうえ実行する。

・贈与税の計算方法を「暦年課税」にするか「相続時精算課税制度」にするか

暦年課税：基礎控除額（年間110万円）を控除した後の課税価格に超過累進税率（最高税率55％）を適用して贈与税を計算するため、同一年に多額の贈与をする場合は贈与税負担が重くなる（デメリット）が、贈与後３年（2024年以降の贈与から贈与後７年）経過すれば生前贈与加算の対象にならないこと、複数年で分割すれば比較的税負担が少なくなること、受贈者は誰でもよいので子の配偶者に贈与することもできるなど（メリット）がある。なお、暦年課税による場合、特例贈与財産（贈与年の１月１日で18歳以上の者が直系尊属から贈与を受けた財産）と一般贈与財産（特例贈与財産以外）とで区分して計算し、適用税率が異なることに留意する。

相続時精算課税：贈与者・受贈者の組合せが限られることや、一度選択をすると取消しができないこと、贈与財産は年限なく相続財産に加算される（基本的に相続財産の減少にならない）ことなど（デメリット）があるが、累計で2,500万円まで特別控除額が適用され、特別控除額を超えた部分は一律20％の税率で贈与税を計算するため、同一年に多額の贈与をする場合でも暦年課税に比べ税負担が軽くなる、加算される価額は贈与時の価額（値上り部分は加算されない）など（メリット）がある。また、2024年１月１日以降に相続時精算課税制度を活用して贈与した場合は、毎年110万円の基礎控除額を控除することができる。

⑵　遺言による遺贈の場合

Ｘ社株式を長男Ｃさんに相続させる内容を記載した遺言書を作成する。なお、生前贈与する分を含め遺留分を侵害する可能性がある場合には、遺留分の民法特例の活用も検討する。

【要点ポイントPartⅠ】遺言
【要点ポイントPartⅠ】中小企業における経営の承継の円滑化に関する法律に伴う民法の特例

⑶　譲渡による場合

Ａさんが長男ＣさんにＸ社株式を譲渡（個人から個人への譲渡）する場合は、譲渡価額と取得価額の差額が非上場株式等の譲渡所得として所得税等15.315％、住民税５％の税率による申告分離課税となる。

時価（適正額）より譲渡価額が低額な場合は、時価と譲渡価額との差額は贈与とみなされ長男Ｃさんに贈与税が課税される。個人間売買の場合の時価（適正額）は、原則として相続税評価額である。

また、長男Ｃさんが買取り資金を保有していない場合は、役員報酬の増額、借入等により買取り資金の準備も必要となる。

⑷　事業承継税制の特例活用

いわゆる事業承継税制（非上場株式等についての相続税および贈与税の納税猶予および免除）は、従来からある一般制度と、2018年から10年間限定で適用される特例制度との２階建てとなっている。

まず、一般制度を確認したうえ、比較として特例制度を押さえておきたい。

【要点ポイントPart Ⅰ】非上場株式等に係る贈与税および相続税の納税猶予制度の「特例」と「一般」の比較

➔❸に対する提案例

弟Ｅさんからの買取り先としては長男ＣさんかＸ社、買取り時期としては弟Ｅさんの生前か相続開始後かにより課税関係等が変わってきます。

また、弟Ｅさんに相続が発生すると、弟Ｅさんの相続人に移転することになり、経営にまったく関係のない人がＸ社の株式を保有することになります。そこで、定款に「相続人等に対する株式の売渡し請求」の記載がない場合には、定款変更によりその旨を記載することを提案します。

✔解 説

⑴　長男Ｃさんが弟Ｅさんから買い取る場合

この場合の弟Ｅさんの株式譲渡に係る課税関係は、前述の長男ＣさんがＡさんから買い取る場合と同様である。

⑵　長男Ｃさんが弟Ｅさんの相続人から買い取る場合

この場合の弟Ｅさんの相続人の株式譲渡に係る課税関係は、基本的には弟Ｅさんが買い取る場合と同様であるが、弟Ｅさんの相続人が弟Ｅさんの相続に関し相続税の申告納付をしている場合には、一定の要件のもと「相続財産を譲渡した場合の取得費の特例（いわゆる相続税の取得費加算）」が適用できる。

〈相続税の取得費加算〉

相続または遺贈により財産を取得し、かつ、相続税額を納めた者が、その財産を相続開始のあった日の翌日から相続税の申告期限の翌日以後３年以内に譲渡した場合の取得費は、その資産の本来の取得費に、その者に課された相続税額のうち、譲渡した財産に対応する部分の金額として、次の算式により計算した金額を加算することができる。この規定は、譲渡先が親族や同族会社等でも適用できる。

$$\text{その者の相続税額} \times \frac{\text{譲渡資産の相続税の課税価格}}{\text{その者の相続税の課税価格（債務控除前）}}$$

⑶　X社が弟Eさんから買い取る場合

X社は自己株式の取得（いわゆる「金庫株」）となり、この場合の弟Eさんの株式譲渡に係る課税関係は、株式の譲渡損益として申告分離課税（合計20.315%）の対象となる部分と配当所得（みなし配当）として総合課税（配当控除後で最高49.44%）となる部分がある。後者は、弟Eさんの所得金額が高い場合は一般的に税負担が重くなる。

⑷　X社が弟Eさんの相続人から買い取る場合

この場合の弟Eさんの相続人の株式譲渡に係る課税関係は、基本的には弟Eさんから買い取る場合と同様である。ただし、弟Eさんの相続人が相続が発生してから3年と10カ月以内にその株式をX社に売却した場合には、総合課税されずに申告分離課税（合計20.315%）のみとでき、「みなし配当」は適用されないことが可能である。この特例を活用するには、X社に譲渡する時までに「相続財産に係る非上場株式をその発行会社に譲渡した場合のみなし配当課税の特例に関する届出書」を、X社を経由してX社の本店または主たる事務所の所在地の所轄税務署長に提出する必要がある。

また、相続税の取得費加算も適用できるため、一般的に税負担は軽くなる。

【要点ポイントPartⅠ】相続財産に係る非上場株式をその発行会社に譲渡した場合のみなし配当課税の特例

また、弟EさんはX社の経営に関与しており、これまでX社の株式を保有していても問題はなかったようだが、弟Eさんの相続人株主がX社の経営に協力的とは限らない。

株主には少数株主権があるため、たとえ10%でも非協力的な人が株式を保有することは好ましくない。

弟Eさんの相続人株主がX社の経営にとって好ましくない場合、定款に「相続人等に対する株式の売渡し請求」の記載があれば、弟Eさんの相続人株主はX社からの売渡し請求に対し拒否することができない。

なお、X社からの売渡し請求は、相続等による株式の取得があったことを知った日から1年以内に行う必要がある。また、売買価格の決定は当事者の協議によるが、協議が調わない場合には、売渡請求日から20日以内に、裁判所に対して売買価格の決定を申し立てることになる。

〈スクイーズアウト〉

スクイーズアウトとは、少数株主が株式の買取りに応じない場合であっても、当該株式を強制的に買い取ることをいう。スクイーズアウトには主に以下の４つの手法がある。

⑴　株式等売渡請求

90%以上の議決権を持つ株主もしくは株主グループ（これを「特別支配株主」という）は、株主総会の決議を経ずに少数株主から強制的に株式を買い取ることができる。

⑵　株式併合

株式併合とは、例えば発行済株式10株を１つの株式にまとめることをいう。株式併合によって株式の単位が切り下げられると、１株未満の端数が発生する。この端株を会社が買い取ることにより少数株主を排除できる。

ただし、株式併合をするためには株主総会で２/３以上の同意を得なければならない。

⑶　現金を対価とした株式交換

株式交換とは、株式の交換によって相手企業を完全子会社化する手法である。株式交換は現金も対価にできるため、相手企業の少数株主を排除できる。

⑷　全部取得条項付種類株式

全部取得条項付種類株式は、発行会社から請求された場合、強制的に発行会社へ売却しなければならない株式である。

ただし、全部取得条項付種類株式の発行には株主総会の特別決議で承認を得て定款に定める必要があり、効力を発揮する際も株主総会の特別決議が必要である。

➔❹に対する提案例

Ｘ社所有の土地を長女Ｄさんに譲る方法として、贈与か譲渡が考えられます。

法人から個人に財産を贈与すると、法人は当該財産を時価で譲渡したものとみなされ、含み益があれば、法人税法上、その含み益を益金の額に算入します。含み損があれば損金の額に算入します。Ｘ社所有の土地は含み損が5,000万円であるため、譲渡損として損金算入でき、Ｘ社株式の評価減効果もあります。

一方、個人が法人から贈与により取得した財産は一時所得として所得税が課税され、贈与税は非課税とされています。一時所得は総合課税の対象となるため、最高税率55.945％（住民税10％を含む）の税金が課されます。

譲渡する場合、税務上の時価を上回るか下回るかによって取扱いが異なります。

税務上の時価を上回る価額で譲渡すると、法人は時価で譲渡したものとされ、時価との差額を受贈益として計上します。個人は時価と譲渡価額との差額は法人に寄附したものとみなされ、資産は時価によって取得したものとして取り扱われます。

税務上の時価を下回る価額で譲渡すると、前述の贈与と同様に取り扱われます。

長女Ｄさんの購入資金が不足する場合、Ａさんの自宅兼賃貸ビルの建物の名義について相続時精算課税制度を活用して長女Ｄさんに贈与する方法や、Ａさんを被保険者、長女Ｄさんを受取人とする生命保険に加入する方法、金融機関から融資を受ける方法などを組み合わせる必要があります。

✔解説

法人が個人に対して不動産を譲渡した場合は、時価取引を前提とした課税処理を行う。譲渡対価と時価が異なる場合には、それぞれ異なる課税処理を行う。

なお、法人が役員に対して不動産を贈与もしくは低額譲渡した場合には、法人は時価で譲渡したものとされ、時価との差額は役員給与とされる。役員は役員給与を支給されたものとして所得税・住民税が課される（給与所得）。

➔❺に対する提案例

自宅兼賃貸ビルのように、１棟の賃貸併用住宅の場合、土地は、建物の利用割合（自宅と賃貸部分の専有面積割合）をもとに、居住用に対応する部分と貸付事業用（賃貸用）に対応する部分に区分して評価します。そのため、自宅の土地は120㎡、貸付事業用の土地は240㎡として計算します。

自宅の土地については妻Ｂさんが相続で取得すれば330㎡まで80％減額の対象になりますが、長男Ｃさんや長女Ｄさんが相続で取得しても現状では評価減は受けられません。

賃貸ビルについては、どなたが相続で取得しても相続税の申告期限まで貸付事業および土地の保有を継続すれば200㎡まで50％減額の対象になります。

なお、特定居住用宅地等（ご自宅）と貸付事業用宅地等（賃貸ビル）とは面積調整が必要になります。

✔解 説

【要点ポイントPartⅠ】小規模宅地等の特例

➔❻に対する提案例

Ａさんは妻Ｂさんに自宅兼賃貸ビルを相続させたいとのことです。相続といっても、名義にこだわることなく、妻Ｂさんが引き続き自宅に居住させたい旨である場合、Ａさんの相続時に自宅を長女Ｄさんに承継させたうえで配偶者居住権を設定してはいかがでしょうか。そうすれば、土地は長女Ｄさんが保有しながら、妻Ｂさんは安心して引き続き自宅に居住する権利を確保できます。

また、配偶者居住権を設定することにより、相続税の軽減効果が見込まれることもあります。

この時、現状のままでは長女Ｄさんは小規模宅地等の特例を適用できませんので、長女ＤさんがＡさんと妻Ｂさんと同居するなど適用要件を満たすための対策が必要です。

なお、建物の共有名義に被相続人（Ａさん）と配偶者（妻Ｂさん）以外の人がいると配偶者居住権は設定できませんので、仮に建替えを検討される場合は、名義決定には気をつけてください。

✔解 説

(1) 配偶者居住権の概要

配偶者居住権は、相続開始時に居住していた被相続人所有の建物を、配偶者が引き続き無償で使用・収益できる権利であり、存続期間は終身または一定期間である。

① 発生の要件

- 配偶者が、相続開始時に被相続人所有の建物に居住していること。
  建物は被相続人所有または配偶者との共有に限られるため、他の共有者（たとえば子）がいる場合は配偶者居住権を設定できない。
- 配偶者居住権は、遺贈（死因贈与を含む）または遺産分割によって取得すること（一定の要件のもと、家庭裁判所の遺産分割の審判により取得する旨を定める場合がある）。

② 効果

配偶者は配偶者居住権が消滅するまで、建物を使用収益することができる。ただし、建物所有者の承諾を得なければ第三者に賃貸することはできない。

建物の維持費用（修繕費や固定資産税）は配偶者が負担する。なお、土地の固定資産税は土地の所有者が負担する。

③ 対抗要件

配偶者居住権を第三者に対抗するためには登記が必要である。

④ 消滅

遺産分割等により配偶者居住権の期間が定められたときはその終期に、期間の定めがない場合は配偶者の死亡により、配偶者居住権は消滅する。

⑤ 配偶者居住権の財産的価値

相続税における配偶者居住権の評価額は下の表のとおりである。

なお、配偶者居住権に基づく居住建物の敷地の利用に関する権利（以下「敷地利用権」）は特定居住用宅地等に該当し、小規模宅地特例の適用対象となる。

種類	評価方法
配偶者居住権	建物の相続税評価額 − 建物の相続税評価額 × （建物の残存耐用年数※1 − 配偶者居住権の残存年数※2）／残存耐用年数 × 存続年数に応じた民法の法定利率による複利現価率
配偶者居住権が設定された建物（居住用建物）の所有権	建物の相続税評価額－配偶者居住権の価額
配偶者居住権に基づく居住建物の敷地の利用に関する権利	土地等の相続税評価額－土地等の相続税評価額×存続年数に応じた民法の法定利率による複利現価率
居住建物の敷地の所有権等	土地等の相続税評価額－敷地の利用に関する権利の価額

※1 居住建物の所得税法に基づいて定められている耐用年数（住宅用）に1.5倍した年数から居住用建物の築後経過年数を控除した年数

※2 • 配偶者居住権の存続期間が配偶者の終身である場合…配偶者の平均余命年数
• それ以外の場合…遺産分割協議書等により定められた配偶者居住権の存続期間の年数（配偶者の平均余命年数を上限）

(2) 配偶者短期居住権

前述の配偶者居住権とは別に、相続開始時に無償で居住していた被相続人所有の建物について、一定期間無償での使用を配偶者に認める権利である「配偶者短期居住権」がある。

遺産の分割をすべき場合には、遺産分割により居住建物の帰属が確定した日と相続開始から6ヵ月を経過する日のいずれか遅い日まで、それ以外の場合には、居住建物の取得者による配偶者短期居住権の消滅の申入れの日から6ヵ月を経過する日に消滅する。したがって、少なくとも6ヵ月間、配偶者は居住建物に居住することができる。

配偶者居住権とは異なり、第三者対抗要件はなく登記もできない。また、財産的価値がないため相続税の課税対象にもならない。

(3) 配偶者居住権の活用方法

① 本来の活用方法

配偶者が住み慣れた自宅に住み続けるために被相続人名義の土地建物を相続で取得した場合、その分、金融資産など他の資産を取得できる割合は少なくなり、住むところは確保できたがその後の生活費が不足するというようなことが生じる。

そこで、土地建物を、住み続ける権利である「配偶者居住権および敷地利用権（以下「配偶者居住権等」)」と所有権に分けることにより、配偶者が金融資産等を多く取得することができる。

たとえば次のようなケースである。

- 相続人…妻（配偶者）と子１人の計２人（法定相続分各人２分の１）
- 相続財産…自宅土地建物：4,000万円、金融資産：2,000万円、合計：6,000万円
- 妻と子は不仲で、子は法定相続分に応じた財産を要求している

このケースで遺産分割により妻が自宅土地建物を相続する場合、それだけで法定相続分相当額を超えてしまい、妻の固有財産から子に1,000万円支払う必要が生じ、その支払ができなければ自宅土地建物を売却することになる。

また、被相続人が遺言書を作成し相続財産の全部を妻に遺贈するような場合でも、子から遺留分を請求されれば1,500万円（6,000万円×遺留分１/４）の支払が生じ、手元に残る金融資産は少なくなり、妻の老後の生活に支障をきたすことが予想される。

ここで、配偶者居住権等の評価額が1,600万円と仮定した場合、所有権の評価額は2,400万円（4,000万円－1,600万円）となる。

遺産分割であれば、妻が法定相続分相当額として配偶者居住権1,600万円と金融資産1,400万円（6,000万円×１／２(妻の法定相続分)－1,600万円）を取得することができ、妻の固有財産から子に支払をする必要がなくなる。

遺言により配偶者居住権1,600万円と金融資産2,000万円を妻、所有権2,400万円を子に遺贈すれば、子の遺留分を侵害することなく分割することができる。

このように配偶者居住権の本来の活用方法は、配偶者と他の相続人が不仲である場合などに配偶者を保護するためのものである。

相続人の仲が円満であれば、配偶者以外が相続した土地建物に配偶者が住み続ける、配偶者が法定相続分を超える財産を相続する、などにより対応可能となるため、次の相続税の軽減対策として活用する場合を除き、あえて配偶者居住権を活用する必要性は少ないと思われる。

② 相続税の軽減対策としての活用

一次相続だけを考慮した場合、配偶者は法定相続分相当額または１億6,000

万円のいずれか多い金額まで相続すれば、配偶者の税額軽減が最大限適用され相続税額は軽減される。しかし配偶者の固有財産が多い場合などは二次相続での税負担が増大し、一次二次トータルでは不利になるケースが少なくない。

そこで配偶者居住権を設定すれば、一次相続で配偶者の税額軽減を活用しつつ、配偶者の死亡時には消滅するので二次相続では課税対象にならず、結果として相続税の軽減対策となることがある。ただし、配偶者居住権を設定することが必ずしも軽減対策になるとは限らないため、配偶者の固有財産等を考慮したうえでのシミュレーションが必須である。

また、配偶者居住権が設定された建物の売却には制限が加わるなどのデメリットもある。配偶者と所有者の合意により売却することはできるが、たとえば配偶者が認知症で合意が得られず、結果として配偶者が死亡し配偶者居住権が消滅するまで売却できないまま塩漬けになるケースなども想定すべきである。

➔❼に対する提案例

相続税の課税対象となる死亡保険金については、「500万円×法定相続人の数」まで非課税とされていることから、生命保険の加入の有無を確認し、非課税限度額に余裕がある場合には、一時払い終身保険等への加入を提案します。

✔解 説

- 第3問❺に対する提案例を参照

MEMO

第10問 | 2022年6月5日

設例

　Aさん（65歳）は、地方中核都市で調剤薬局を営むX株式会社（非上場会社）の創業社長である。医薬分業の波に乗り、病院や診療所の近くでの出店を積極的に展開しながら、規模を拡大してきた。しかし、昨今は薬局の店舗数も飽和状態となり、調剤報酬・薬価の改定や薬剤師獲得競争の激化を受け、業績は伸び悩んでいる。

　Aさんは、先行きの事業継続への不安から、事業承継問題の解決も考え、M&AによるX社の売却を決断し、M&A仲介業者に相談した。幸い、大手調剤薬局が市場シェア獲得のため積極的にM&Aを仕掛けているという業界環境も手伝い、すぐに複数社からの引合いがあった。Aさんは、そのなかから上場会社である大手調剤薬局チェーンのY社を譲渡先とし、基本合意書を締結のうえ、会計事務所と法律事務所によるデュー・ディリジェンス（買収監査）に入った。

　また、Aさんは、M&Aに伴う自身の退職金とX社株式の譲渡代金の試算に加え、その後の資産承継対策についても、FPであるあなたから事前に概略の説明を受けていた。

　ところが、デュー・ディリジェンスも完了する段になって、AさんとY社との間でM&Aに関する大きな見解の相違が生じた。両者の溝は最後まで埋まることはなく、基本合意を解消して破談する事態になってしまった。

　X社の事業承継が振出しに戻ってしまい、気落ちしたAさんであったが、自身の年齢を考えると落胆してばかりもいられず、新たなM&Aを含めた事業承継の選択肢から検討し直すこととし、FPであるあなたと協議したいと考えている。

　なお、Aさんには、離婚した前妻との間に長男Bさん（40歳）がおり、今でも定期的に交流を続けている。長男Bさんは大手商社に勤務し、子会社の社長として活躍している。また、X社は、地元では名が知られた存在で、毎年有能な人材も入社しており、複数の店舗を任せられる若手も育っている。

【Aさんの家族構成】

長男Bさん（40歳）：前妻との間の子。大手商社の子会社で社長として活躍している。

【Aさんの所有財産の概要】（相続税評価額）

1.	現預金	：	2億1,000万円
2.	有価証券	：	5,000万円
3.	X社株式	：	2億2,000万円
4.	自宅マンション	：	3,000万円
	合計	：	5億1,000万円

※Aさんの相続に係る相続税額は、約2億円と見積もられている。

【X社の概要】

資本金：2,000万円　　会社規模：中会社の大　　従業員数：60人
売上高：14億円　　経常利益：5,000万円　　純資産　：4億円
株主構成（発行済株式総数4万株）：Aさん100%
株式の相続税評価額：類似業種比準価額5,000円／株、純資産価額10,000円／株
※X社株式は譲渡制限株式である。

（注）設例に関し、詳細な計算を行う必要はない。

検討のポイント

- 設例の顧客の相談内容および問題点として、どのようなことが考えられるか。
- それらの相談内容および問題点を解決するために、どのような提案・方策が考えられるか。
- それらの方策（解決策）のなかで、何を顧客に提案するか。その理由・留意点は何か。
- FPと職業倫理について、どのようなことが考えられるか。

（メモ余白）

設例に対する検討と提案

受検者が検討すべき設例の顧客の相談内容および問題点

❶ Ｙ社とのＭ＆Ａの交渉について、基本合意を解消して破談する事態となってしまったが、どのような問題があるか。
❷ 新たなＭ＆Ａを含めた事業承継の選択肢から検討し直したいとのことであるが、どのような提案・方策が考えられるか。
❸ 長男Ｂさんに承継させる場合に留意すべきこととして、どのようなことが考えられるか。
❹ 従業員に承継させる場合に留意すべきこととして、どのようなことが考えられるか。
❺ 納税資金対策として、どのような提案・方策が考えられるか。
❻ 相続人が１人の場合、遺言書についてどのような提案・方策が考えられるか。

相談内容および問題点を解決するための提案と方策

→❶に対する提案例

デュー・ディリジェンスが完了する段階になって、ＡさんとＹ社との間でM&Aに関する大きな見解の相違が生じてしまい、基本合意を解消してM&Aの取引自体が破談となってしまいました。仮にM&Aに関連する契約に違反していると違約金が発生することがあります。

違約金が発生するかどうかは、違反した内容が法的拘束力を持つ条項に違反しているかどうかによって変わりますので、M&Aに精通した弁護士に相談することを提案します。

✔解 説

M&Aは契約に違反すると違約金が発生することがある。違約金が発生するか否かは、違反した内容が法的拘束力を持つ条項に違反しているかどうかによる。

どの範囲まで法的拘束力を持つかはM&Aの際に交わす契約書によって異なり、基本合意書の場合は、法的拘束力を持つ条項と法的拘束力を持たない条項が混じっていることが一般的である。一方、最終契約書の場合は、すべての条項が法的拘束力を持っている。

基本合意書の主な事項は次のとおりである。

• 目的	• 最終契約書の締結の時期と方法	• 株式譲渡条件
• 基本日程	• デュー・ディリジェンス	• 善管注意義務
• 独占交渉権	• 表明保証	• 役員及び従業員の処遇
• 譲渡後の支援	• 保証債務等の解消	• 契約解除
• 排他的交渉権限	• 譲渡禁止	• 法的拘束力
• 秘密保持	• 費用	• 合意管轄

上記のうち、独占交渉権やデュー・ディリジェンスは、もし違反があると大きな損失を被る可能性があるため、法的拘束力を持たせる場合がある。そのため、違反があった際には違約金が発生する。

また、M&A契約に記載される契約解除の条件には、次のものがある。

①MAC条項

MAC（Material Adverse Chang）条項とは、重大な悪化のことである。たとえば、M&Aの契約において、「本契約締結後クロージング日までの間に、対象会社の事業、財務状態、経営状態に重大な悪影響を及ぼす事由または事象が生じていないこと」を買主の義務履行の前提条件とするような条項のことである。このような事由が発生した場合に、買主は義務履行を免れることができるようにする。

②表明保証違反

表明保証とは、提示した情報に間違いがないことを表明することである。表明保証のなかに、表明保証違反があった場合は契約解除ができるよう定めることで、違約金が発生することなく契約を解除できる。

③債務不履行

M&Aの交渉相手が契約による義務を果たさない、いわゆる、債務不履行のときには、契約の解除や違約金の請求ができるように契約書上に明記しておく。

➜❷に対する提案例

新たなM&Aを含めた事業承継の選択肢としては、親族内承継、従業員承継、M&Aの3つが考えられます。親族内承継の候補は長男Bさんのみとなりますので、一度、事業承継の意思があるかどうか確認します。長男Bさんに事業承継の意思がない場合、従業員の中で後継者候補となる人材に事業承継の意思を確認します。従業員にも事業承継の意思がない場合、新たなM&Aの買い手を探すことを提案します。買い手探しは民間のM&A仲介業者や公的機関である事業承継・引継ぎ支援センターなどに相談します。

✔解 説

設例の場合、一度、M&Aの交渉を進めていたため、親族内や従業員の中に事業承継の意思のある者はいないかもしれない。しかしながら、長男Bさんは大手商社の子会社の社長として会社経営の経験を積んでいるため、改めてAさんから事業承継を打診すれば、長男Bさんは継ぐ意思を表明する可能性がある。

また、X社の従業員の中にも有能な人材はおり、複数の店舗を任せている若手も育っているため、Aさんから後継者となり得る従業員に事業承継を打診すれば、会社を継ぐ意思を表明する者がいる可能性もある。

M&Aの手続を進めている途中で長男Bさんや従業員が会社を継ぎたいとの意思を表明すると、M&Aは中断せざるを得ないので、事前に確認する必要がある。

親族内にも社内にも後継者候補がいない場合、M&Aの手続を進めることができる。

・第9問❶に対する提案例を参照

→❸に対する提案例

長男Bさんは大手商社の子会社の社長として活躍しているため、経営手腕はあると思われます。しかし、調剤薬局業界の経験はないため、まずはX社に入社して経験を積むとともに、社内の人望を得る必要があります。

また、長男Bさんが後継者となれば、事業承継税制の特例を活用したX社株式の移転が考えられます。ただし、この特例は2026年3月31日までに特例承継計画を提出する必要があり、株式贈与は2027年12月31日までが特例の期限です。本特例には後継者が役員就任から3年以上経過しているとの要件があり、期限が迫っていますので早い判断が必要です。

事業承継税制の特例が適用できない場合には、X社株式の評価額引下げ対策を行ったうえ、贈与、相続、売買ならびにこれらの組合せなどにより移転することになります。

✔解 説

現行制度において、事業承継税制の特例措置を活用する場合、2024年12月31日までに後継者は役員に就任しておく必要がある。そのため、特例措置の実質的な適用期限が2027年12月31日の3年前になってしまっており、役員就任要件は今後見直される見込みである。

【要点ポイントPartⅠ】非上場株式等に係る贈与税および相続税の納税猶予制度の「特例」と「一般」の比較

→❹に対する提案例

X社はM&Aの交渉を進めていたこともあり、従業員は事業承継できないと思い込んでいる可能性が高いです。そのため、従業員承継を行う場合、事業承継の意思確認に時間を要します。事業承継は従業員にとって大きな決断であり、会社経営という重圧から、断られてしまうこともあります。

仮に、従業員が事業承継する意思を表明した場合、所有（株式）と経営を分離するかどうかを検討すべきです。分離するのであれば株式はAさんが保有したまま経営のみを従業員に任せることになります。しかし、中小企業では所有と経営は一致させるのが一般的ですので、その場合、Aさんが保有している株式を従業員に移転させる必要があります。

移転の方法としては、贈与、遺贈、売買などが考えられますが、いずれも適正額で評価をする必要があります。また、贈与または遺贈する場合は、一定の要件のもと事業承継税制の適用も可能です。

資金力のない従業員が事業承継するには、移転コストは低いほうが承継しやすいと思われます。そこで、従業員が配当還元価額で受け入れられる範囲内でまずX社株式を従業員に移転します。残数については、Aさんの退職に伴う退職金を支給し、類似業種比準価額が下がったタイミングで、従業員に移転したり金庫株を活用してX社が買い取ることを提案します。

✔解説

Aさんと従業員は民法上の親族に該当せず、取引相場のない株式の評価における株主判定では同族関係者にならない。したがって、Aさんが50％超のX社株式を保有している限り、従業員は同族株主等以外の株主となり、従業員が保有するX社株式の評価は配当還元価額となる。

設例の場合、X社の配当金額の記載はないものの、仮に無配だった場合、配当還元価額は1株250円となる。

$$\text{配当還元価額} = \frac{\text{その株式に係る年配当金額}^{(\text{注}1)}}{10\%} \times \frac{\text{その株式の1株当たりの資本金等の額}}{50\text{円}}$$

（注1）その株式に係る年配当金額は、類似業種比準方式における1株当たりの年配当金額を用いる。ただし、2円50銭未満の場合は2円50銭となる。

（注2）配当還元価額が原則的評価方式によって計算した価額を超える場合は、原則的評価方法によった価額を株式の評価額とする。

仮に20％を贈与する場合の評価額は200万円（250円×8,000株）となり、通常の暦年課税でまとめて贈与しても税負担はたいした金額ではなく、数年に分散すれば贈与税負担なく移転することも可能である。

これによるAさんの資産軽減効果は4,400万円（5,500円※×8,000株）となるため、Aさんの相続税対策としても有効である。

※類似業種比準方式5,000円×0.9＋純資産価額方式10,000円×0.1

【要点ポイントPart Ⅰ】非上場株式等に係る贈与税および相続税の納税猶予制度の「一般」と「特例」の比較

【要点ポイントPart I】中小企業における経営の承継の円滑化に関する法律に伴う民法の特例 3 金庫株制度

➔❺に対する提案例

Ａさんの推定相続人は長男Ｂさんのみであるため、遺産分割で揉めることはありませんが、現時点で相続税額は約２億円と見積もられていますので、納税資金対策を行う必要があります。

そこで、Ａさんを被保険者および契約人、長男Ｂさんを受取人とした生命保険の契約を提案します。

✔解 説

- 第３問❺に対する提案例を参照

➔❻に対する提案例

相続人が１人の場合、争族対策として遺言書を作成する必要はありません。しかし、Ａさんと長男Ｂさんは定期的に交流があるとはいえ、同居していないため、相続発生時にＡさんの相続財産を長男Ｂさんが把握するのは大変です。そこで、自筆証書遺言または公正証書遺言で遺言書を作成し、財産目録を作成することを提案します。

✔解 説

【要点ポイントPart I】遺言

MEMO

第3章

設例［PartⅡ］

PartⅡでは、土地の有効活用が主要なテーマとなります。土地を有効活用するための方法はないか、または売却すべきかなどを検討しましょう。また、土地の有効活用をするうえでは、容積率や建蔽率等の制限がどうなっているか、売却する場合は、譲渡所得の特例で使えるものはないかなどを考える必要があります。PartⅡは不動産業務に携わっていない人にはなじみがないかもしれませんが、設例のすべてを理解できなくても、わかるポイントだけでも確実に回答できるようにしておきましょう。

設 例

Ａさん（72歳）は、首都圏近郊のＫ市内にある自宅で妻Ｂさん（68歳）および子Ｃさん（40歳）家族（妻と子２人）と同居している。Ａ家は古くからの資産家であり、今でもそれなりの土地や資産を所有している。Ａさん夫妻には子がなく、妻Ｂさんの妹の子であるＣさんを幼少の頃に養子として迎え、現在に至っている。

Ａさんには、姉Ｄさん（75歳）、弟Ｅさん（69歳）、妹Ｆさん（67歳）の３人の兄弟がいる。1987年に父親が死亡した際、甲土地（甲－１～５土地）を含む相続財産について、父親の遺言に従い、その大半を長男であるＡさんが相続し、兄弟３人はそれぞれ甲土地の一部（各224㎡）と現金500万円だけを相続した。また、Ａさんは、相続するにあたり、甲－５土地（728㎡）をマンション事業者に売却して納税資金に充当した。

その後、弟Ｅさんは、取得した甲－２土地を売却し、現在はその土地上に賃貸アパートが建っている。また、姉Ｄさんは、取得した甲－３土地上で賃貸アパートを経営している。妹Ｆさんが取得した甲－４土地とＡさんが取得した甲－１土地は、いずれも貸駐車場として使用されている。なお、甲土地は、最寄駅から徒歩５分と利便性が高く、周囲にはマンションやアパートなどの共同住宅が多くあり、比較的まとまった土地への需要が高い地域にある。

約半年前、Ａさんは体調が優れず病院に行ったところ、肺にがんが見つかり、治療を受けることになった。Ａさんは、今後の相続対策について、知り合いの不動産会社Ｘ社の社長に相談したところ、甲－１土地に賃貸マンションを建てることを勧められ、紹介された大手建設コンサルタント会社と契約し、先日、設計プランの大枠が固まったところである。

そのような折、Ａさんの体調不良を聞きつけた姉Ｄさんが訪れ、「あなたが死んだら、Ａ家の代々の財産がＡ家とは関係のないＢさんの家系に渡ってしまう。それは納得できない。お父さんの相続時は遺言があったから仕方がなかったけど、あなたが生きているうちに私たちにＡ家の財産を少しでも分けてほしい。ＥもＦも同じ気持ちよ」と伝えてきた。

Ａさんは、兄弟の言い分にも一理あると思い、自身の相続時に妻Ｂさん、子Ｃさんが嫌な思いをしないよう、妻Ｂさんたちと相談のうえ、手元資金から兄弟それぞれに現金3,000万円を提供することを決め、その旨を兄弟に伝えた。ところが、弟Ｅさんと妹Ｆさんは喜んだものの、姉Ｄさんからは、「私はお金はいらない。アパートをもう１棟建てたいので、甲－ａ土地（224㎡）をもらいたい」と言われてしまった。甲－ａ土地を姉Ｄさんに譲ると、残った甲－１土地は形状がきわめて悪くなり、いま推し進めている賃貸マンションの建築プランに大きく影響してしまう。そこで、Ａさんは、甲－ｂ土地（224㎡）でどうかと姉Ｄさんに打診したが、甲－３土地と地続きでなければ絶対に駄目だと断られてしまい、頭を悩ませている。

なお、Ｘ社の社長からは、「甲－ａ土地が姉Ｄさんの所有になるなら、賃貸マンションの建築は諦めて、今後換金しやすいように、甲－１土地に開発道路を通し、６画地に分割する開発をしたらどうか」と勧められた。

FPへの質問事項

1．Ａさんに対して、最適なアドバイスをするためには、示された情報のほかに、どのような情報が必要ですか。以下の①および②に整理して説明してください。
　①Ａさんから直接聞いて確認する情報
　②FPであるあなた自身が調べて確認する情報
2．姉Ｄさんに納得してもらうためには、甲－ａ土地を割譲する以外に、どのような方法

（注）設例に関し、詳細な計算を行う必要はない。

が考えられますか。
3．兄弟に現金3,000万円や土地を提供するには、どのような方法が考えられますか。
4．X社の社長から勧められた開発案について、どのように思いますか。
5．本事案に関与する専門職業家にはどのような方々がいますか。

【甲土地の概要図】

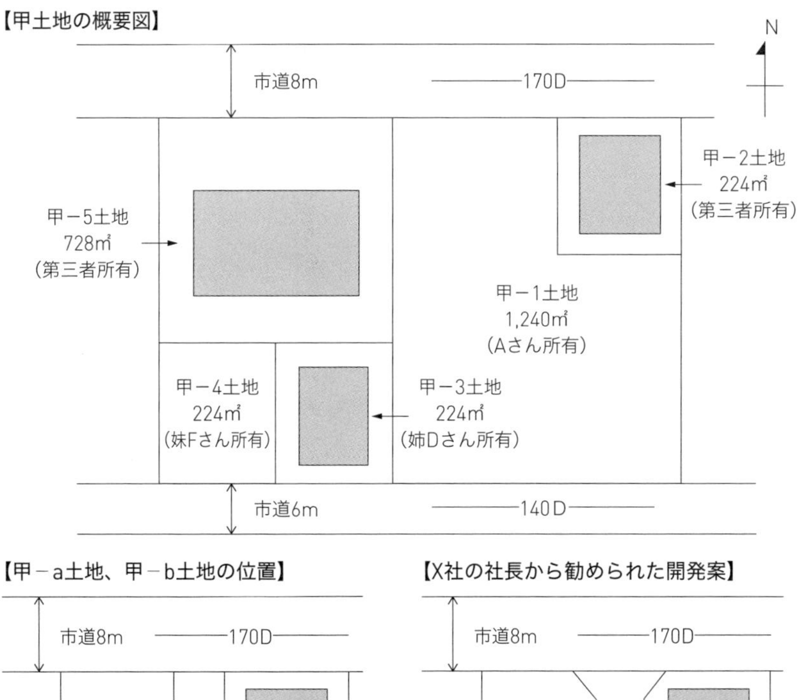

【甲－a土地、甲－b土地の位置】　【X社の社長から勧められた開発案】

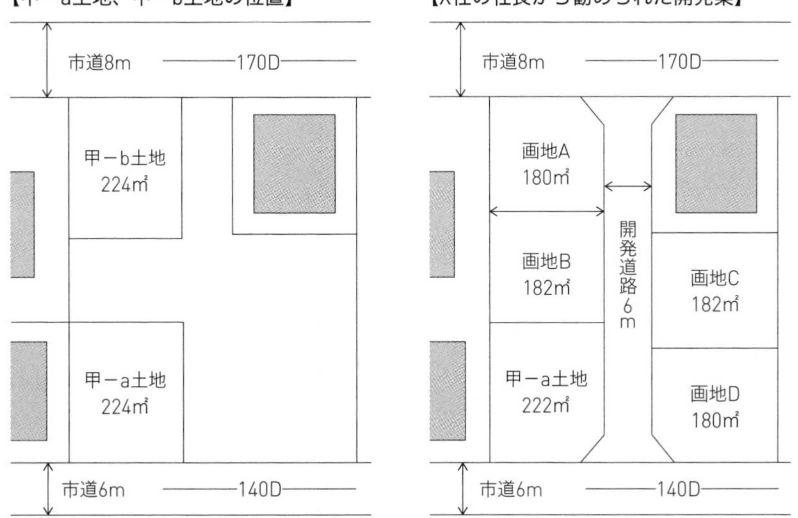

※市街化区域、第一種住居地域、指定建蔽率60%、指定容積率200%
※道路と等高、宅盤は平坦、上下水・ガスは接面道路内に整備済み

設例に対する検討と提案

Q1

Aさんに対して、最適なアドバイスをするためには、示された情報のほかに、どのような情報が必要ですか。以下の①および②に整理して説明してください。
①Aさんから直接聞いて確認する情報
②FPであるあなた自身が調べて確認する情報

A1

①Ａさんから直接聞いて確認する情報
- 甲土地の取得費に関する証明資料や父親の相続に関する資料の有無
- Ａさんのガンについて、進行具合や最近の診療結果
- Ａさんの兄弟への提案や姉Ｄさんとのやり取りについて、妻Ｂさんや子Ｃさんにどの程度伝えているか
- 姉Ｄさんの具体的なアパートの建築計画の確認（特に、地続きでなければ駄目な理由）
- 妹Ｆさんの甲－４土地の売却の意向

②FPであるあなた自身が調べて確認する情報
- 甲－１土地や甲－４土地について、登記記録、公図、地積測量図などの公簿資料や現地確認から、物的確認と権利の態様について問題がないかを確認
- 甲－１土地や甲－４土地について、都市計画法・建築基準法などの担当部署で法令上の制限（敷地面積の最低限度など）を確認
- Ｋ市を管轄する宅地建物取引業法の監督行政の部署で、宅地建物取引業の免許を必要とする条件
- Ｋ市内の不動産市場で流通している平均的な１区画の面積および価格

Q2

姉Dさんに納得してもらうためには、甲－a土地を割譲する以外に、どのような方法が考えられますか。

A2

➔提案例

姉Ｄさんの絶対条件である甲－３土地と地続きの土地で、かつ、Ａさんの

建築プランに影響しないようにするには、妹Ｆさんの甲－４土地を提供する方法が考えられます。甲－４土地を姉Ｄさんに提供するには、Ａさんが姉Ｄさんに甲－４土地の購入資金3,000万円を贈与するか、Ａさんが甲－４土地を買い取り姉Ｄさんに贈与する方法が考えられます。

✔解説

Ａさんにとって、甲－ａ土地を割譲すると甲－１土地の形状がきわめて悪くなり、いま推し進めている賃貸マンションの建築プランに大きく影響する。一方、姉Ｄさんはアパートをもう１棟建てたい希望があり、甲－３土地と地続きの土地が絶対条件である。

これらの問題を解消するには、甲－ａ土地の代わりに妹Ｆさんの甲－４土地を提供する方法が考えられ、このため、事前に妹Ｆさんの甲－４土地の売却の意向を確認しておく必要がある。

もし妹Ｆさんが甲－４土地の売却を承諾すれば、Ａさんは、①姉Ｄさんの購入資金（3,000万円）を贈与するか、または②甲－４土地を買い取り姉Ｄさんに贈与することになる。ここで甲－４土地の適正価格が3,000万円であれば、一般に時価より低い相続税評価額で計算される②の方が負担が少ないと考えられる。

反対に、妹Ｆさんが甲－４土地の売却に難色を示した場合、その理由にもよるが土地を保有することを希望するのであれば、当初姉Ｄさんに打診した甲－ｂ土地と甲－４土地とを交換し、甲－４土地を姉Ｄさんに贈与する方法が考えられる。

なお、いま推し進めている賃貸マンションを区分所有建物とし、姉Ｄさんにその一部を贈与する方法も考えられるが、将来建物の管理や大規模修繕の分担、建替え時などで争いになる危険性が予想されるため、この方法は避けたほうが無難と思われる。

Q3

兄弟に現金3,000万円や土地を提供するには、どのような方法が考えられますか。

A3

➔提案例

Ａさんが生前に提供するには生前贈与、亡くなった後に提供するには遺贈の方法がそれぞれ考えられます。Ａさんは相続時に妻Ｂさん、子Ｃさんが嫌な思いをしないよう、また、姉ＤさんはＡさんが生きているうちにＡ家の財産を少しでも分けてほしいという、それぞれ希望があることから、生前贈与の方法を提案します。

✔解 説

Ａさんが兄弟に現金や土地を提供するには、生前贈与と遺贈の方法が考えられる。

1　生前贈与の場合

Ａさんが兄弟に生前贈与することで、Ａさんが亡くなったときに妻Ｂさんや子Ｃさんの相続税の負担が減少される効果がある。

その反面、贈与は相続税のような小規模宅地のような特例がなく、受贈者である兄弟にとって税負担が重くなることがあげられる。

2　遺贈の場合

一般に相続税は贈与税と比べて基礎控除額が大きく税率も低いことや、小規模宅地などの特例から生前贈与よりも税負担が軽くなる傾向がある。

ただし、兄弟のように、被相続人の一親等の血族および配偶者以外の人が遺贈を受けて相続税が課される際、税額は各人の算出相続税額に２割が加算される。また、相続人以外の人が「特定遺贈」で取得する場合には不動産取得税が課税される。

3　本ケースの場合

姉ＤさんはＡさんが存命中の財産分割を希望しており、Ａさんも妻Ｂさんや子Ｃさんが相続時に嫌な思いをしないようにという考えがあることから、本ケースは生前贈与の方法が望ましいといえる。

Q4

X社の社長から勧められた開発案について、どのように思いますか。

A4

➜提案例

不動産を不特定多数に反復継続して売却する行為は、宅地建物取引業法第２条第２号に定める宅地建物取引業に該当する恐れがあり、X社の提案を実現するには、Ａさんが同法の免許を取得しなければならない可能性があります。このため、まずは所管行政庁で開発案が免許を必要とする行為かどうかを確認し、免許が必要であればX社に一括して買い取ってもらうことを提案します。逆に、免許が不要であれば、開発道路を設ける必要はないので、単に分筆して売却することを提案します。

✔解説

1　宅地建物取引業法の免許について

開発案は反復継続的に宅地を売買することから、業として行う行為と見なされる可能性があり、その場合Aさんは宅地建物取引業に基づく免許が必要となる（宅地建物取引業法3条）。

ここで「業として行う」かどうかは、取引の対象者や取引の目的、取引対象物件の取得経緯などの事項を総合的に勘案して判断されるものであり、監督行政庁ごとに個別の事案によって判断が異なる（例えば、取引の反復継続性については2区画以上売買する行為は事業性が高いとする行政もある）。このため、X社の開発案が免許を必要とする行為かどうか、必ず監督行政庁（K市の所在県）で確認しておく必要がある。

もし免許が必要であれば、Aさんが免許を取得することは現実的ではないため、X社に甲－1土地を買い取ってもらうことが適当である。

2　免許が不要な場合

X社の社長から勧められた開発案は本来必要のない開発道路があり、建築基準法43条の接道要件を満たすように分割すれば有効面積が増え、Aさんの売上もそれだけ増えることになる。

ただし、K市の平均的な1区画の面積より極端に大きくなると、今度は総額が高くなることで買い手が見つからない可能性も考えられる。このため、K市の不動産市場で一般に流通している平均的な1区画の面積を調べる必要があるだろう。

Q5

本事案に関与する専門職業家にはどのような方々がいますか。

A4

➔提案例

X社の賃貸マンション計画に関しては建築士や土地家屋調査士、司法書士、不動産鑑定士、税理士など、甲－1土地の分割や姉Dさんとの交渉に関しては、土地家屋調査士、司法書士、弁護士、不動産鑑定士、税理士などがあげられます。

✔解 説

- 建築士……賃貸マンション計画の妥当性
- 土地家屋調査士……賃貸マンションの表題登記、甲－１土地を分割する場合の分筆登記
- 司法書士……賃貸マンションの所有権保存登記、姉Ｄさんへ譲渡する土地の所有権移転登記
- 弁護士……兄弟間で争いになったときの法律相談
- 不動産鑑定士……賃貸マンションの適正賃料、姉Ｄさんへ譲渡する土地価格の3,000万円の妥当性
- 税理士……贈与や遺贈などに関する課税や相続税評価に関する税務相談、賃貸マンション計画の収支計算等

MEMO

設例

会社員のＡさん（42歳）は、三大都市圏にあるＭ市内の戸建て住宅で、母Ｂさん（66歳）、妻Ｃさん（40歳）、長女Ｄさん（14歳）との４人で暮らしている。Ａさんの父親はＭ市内で農業を営んでいたが、３年前にがんで死亡し、自宅の土地建物はＡさんが、甲土地（1,100㎡、地目：宅地）と数カ所ある生産緑地（現在は特定生産緑地）は母Ｂさんが相続した。ほかに相続人はいない。

甲土地は、アスファルト敷きの月極駐車場として利用しており、一定の収入を得ているが、固定資産税・都市計画税の負担を考えると収益性は高くない。幅員18ｍのＫ街道（国道）から６ｍ市道を15ｍほど入った場所にあり、近隣商業地域と第一種低層住居専用地域にまたがっている。Ｋ街道沿いは店舗やマンション等が混在し、甲土地周辺は戸建て住宅やアパート等が立ち並んでいる。

Ａさんは、休日には生産緑地で母Ｂさんの農作業を手伝っているが、最近、休日出勤の多い今の会社を退職して農業に専念したいと考えるようになった。ただ、農業収入だけで今後の生計を維持できるのか不安に感じている。母Ｂさんは、心身ともに健康で、元気なうちは農業を続けたいと思っている（厚生労働省の2022年簡易生命表によると、女性・66歳の平均余命は約23年である）。

そのような折、Ａさんと母Ｂさんは、乳幼児、小児用品店を全国展開しているＸ社の担当者の訪問を受け、「駐車場を確保できる甲土地にぜひ出店させてほしい」と提案を受けた。

【X社の提案内容】

- 建設協力金方式
- 店舗は鉄骨造平屋建て、延べ面積500㎡、建築費9,000万円、建物の固定資産税・都市計画税は年間70万円（見込み）
- 建築資金は、建設協力金として全額X社が建築主に貸し付ける。
- 賃借期間20年の普通借家契約
- 敷金1,000万円、建設協力金9,000万円（20年間均等返済、無利息）、年間賃料2,400万円（建設協力金の年間均等返済450万円を含む）
- 営業開始後5年間は解約しないが、その後は1年前の解約予告で退去可能

Ａさんと母Ｂさんは、提示された年間賃料に魅力を感じ、Ｘ社からの提案を前向きに検討したいと思っている。ただ、どのようなリスクがあるのか、建築する店舗の名義は誰にすればよいのかなどわからないことも多く、FPであるあなたにアドバイスを求めている。

FPへの質問事項

1．Ａさんに対して、最適なアドバイスをするためには、示された情報のほかに、どのような情報が必要ですか。以下の①および②に整理して説明してください。
　①Ａさんから直接聞いて確認する情報
　②FPであるあなた自身が調べて確認する情報
2．甲土地にＸ社が希望する店舗を建築することはできますか。
3．甲土地にＸ社が希望する店舗を建築する場合、Ａさんと母Ｂさんのどちらの名義で建築するのがよいでしょうか。その理由とともに教えてください。
4．本事案に関与する専門職業家にはどのような方々がいますか。

（注）設例に関し、詳細な計算を行う必要はない。

【甲土地の概要】

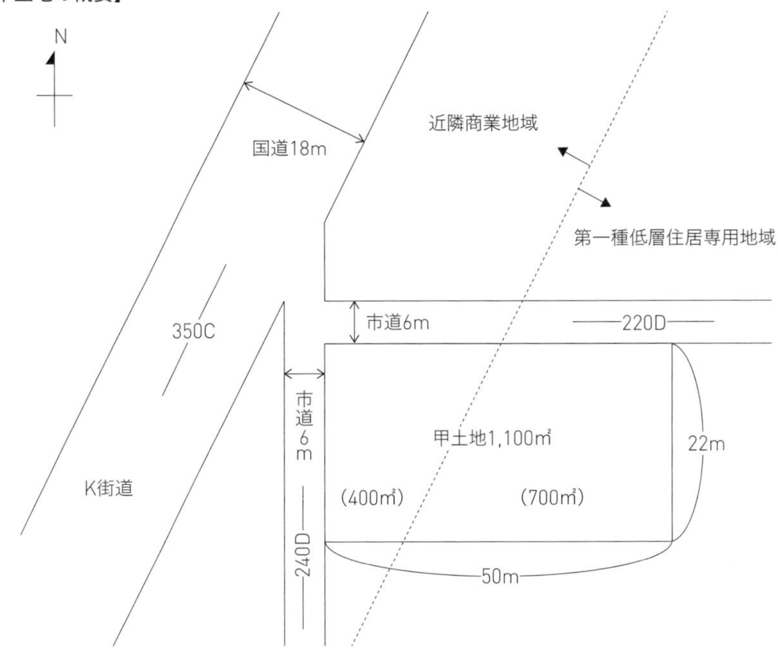

〈甲土地〉

- 近隣商業地域（400㎡）
  指定建蔽率：80%
  指定容積率：200%
  防火地域
- 第一種低層住居専用地域（700㎡）
  指定建蔽率：50%
  指定容積率：100%
  準防火地域

【参考】

	一低	二低	田住	一中	二中	一住	二住	準住	近商	商業
住宅、共同住宅等	○	○	○	○	○	○	○	○	○	○
店舗（150㎡以下）	×	○	○	○	○	○	○	○	○	○
店舗（500㎡以下）	×	×	×	○	○	○	○	○	○	○
店舗（500㎡超）	×	×	×	×	①	②	③	③	○	○

×（建築不可）、○（建築可）、○内に数字のあるもの…条件内で可
①2階以下かつ延べ面積1,500㎡以下　②延べ面積3,000㎡以下
③延べ面積1万㎡以下

設例に対する検討と提案

Q1

Aさんに対して、最適なアドバイスをするためには、示された情報のほかに、どのような情報が必要ですか。以下の①および②に整理して説明してください。
①Aさんから直接聞いて確認する情報
②FPであるあなた自身が調べて確認する情報

A1

①Aさんから直接聞いて確認する情報
- 甲土地の取得費に関する証明資料や父親の相続に関する資料の有無
- Aさんが退職後に必要と考えている収入やライフプラン
- 母Bさんが希望する不動産収入、その他X社の提案に対する意向の有無
- X社が予定する店舗の設計図の有無（なければ間取りや配置図の概要）

②FPであるあなた自身が調べて確認する情報
- 甲土地について登記記録、公図、地積測量図などの公簿資料や現地確認から、物的確認と権利の態様について問題がないかを確認
- 都市計画法・建築基準法における担当部署で用途地域の境の確認や、X社の事業にかかる用途制限における分類
- X社の財務状況や、提案内容の確認（特に、建設協力金方式における普通借家契約の内容）
- 甲土地の周辺地域における乳幼児、小児用品店の出店状況

Q2

甲土地にX社が希望する店舗を建築することはできますか。

A2

➔提案例

X社が希望する店舗は建築できますが、異なる用途地域にわたる土地は過半となる用途地域の制限が敷地全体に適用されるため、近隣商業地域が過半となるように、近隣商業地域の全部の土地と第一種低層住居専用地域の一部の土地を敷地面積として確認申請をすることが必要になります。

✔解 説

(1) 建築物の敷地が地域の内外にわたる場合の措置

建築物の敷地が異なる地域にわたる場合、用途制限に関しては、その建築物またはその敷地の全部について敷地の過半の属する地域の規定が適用される（建築基準法91条）。

設例では、近隣商業地域が400㎡、第一種低層住居専用地域が700㎡であるから、甲土地の敷地全体を利用して建築する場合は、第一種低層住居専用地域の用途制限が敷地全体に適用される。

(2) 第一種低層住居専用地域の用途制限

第一種低層住居専用地域で店舗を建築する場合、50㎡以下しか建築できず、かつ、延べ面積の２分の１以上を居住の用に供することが必要である（建築基準法48条、別表第二（い）、施行令130条の３）。

Ｘ社の提案である500㎡の平屋建の店舗を建築するには、甲土地全体ではなく、近隣商業地域の全部の土地と第一種低層住居専用地域の一部の土地を確認申請上の敷地面積とし、第一種低層住居専用地域の残りの土地の部分は駐車場として利用することになる。

Q3

甲土地にX社が希望する店舗を建築する場合、Aさんと母Bさんのどちらの名義で建築するのがよいでしょうか。その理由とともに教えてください。

A3

➔提案例

母Ｂさん名義にした方が相続対策として有利ですが、母Ｂさんの年齢と退職後の生計に不安を感じているＡさんの意向を踏まえると、Ａさんに直接家賃収入が入るよう使用貸借で土地を借りてＡさん名義で建築する方がよいと思います。

✔解 説

建物の名義について、Ａさんにする場合と母Ｂさんにする場合とで、それぞれメリット、デメリットが考えられる。

1 Ａさん名義の場合

(1) メリット

建物を建築し、Ｘ社から賃料を受け取れるため、Ａさんは農業収入に加えて不動産収入を得ることが可能となる。

この場合Aさんは、母Bさん所有の甲土地を贈与税が発生しない使用貸借で借りて建築することが適当である。

⑵ デメリット

使用貸借は相続税評価上自用地扱いとなり、相続が発生した場合の土地に関する税負担がそれだけ大きくなる。X社に店舗を賃貸していても、土地は相続税評価上有利にならない点がデメリットとなる。

2 母Bさん名義の場合

⑴ メリット

母Bさん名義の場合は、土地も建物も母Bさんが所有することになり、建物はX社に貸し付けているため、相続税評価において甲土地は貸家建付地として評価される。

その他にも建物は貸家として評価され、建設協力金は債務控除することができるため、相続税負担の軽減が期待できる。

⑵ デメリット

1の裏返しになり、Aさんに直接不動産収入が入らないことがあげられる。

3 本件の提案

以上から、母Bさんの年齢（66歳）を考えても、農業収入だけで退職後の生計を維持できるのか不安に感じているAさんにとって、相続対策よりも退職後の収入を重視している感があることから、建物はAさん名義にすることが意向に沿った形といえる。

ただし、母Bさんも不動産収入や固定資産税・都市計画税の負担について希望や考えがあると思われるので、母Bさんの意向も踏まえた上で建物名義人を決めるべきである。

また、仮に母Bさんが一定の不動産収入を希望するのであれば、Aさん主導で法人を設立し、建物は法人名義とし、土地は母Bさんのままとする。無償返還の届出を提出し、Aさんは給与で所得を得る形にするものも選択肢として考えられる。

Q4

本事案に関与する専門職業家にはどのような方々がいますか。

A4

➜提案例

X社の提案内容の妥当性については、建築士、弁護士、不動産鑑定士、税理士などがあげられます。

✔解説

- 建築士……X社の設計案の妥当性の検討
- 土地家屋調査士……建物の表題登記
- 司法書士……建物の所有権保存登記
- 弁護士……建設協力金方式の契約内容の検討
- 不動産鑑定士……店舗賃料の妥当性
- 税理士……賃貸収入に関する課税や相続税評価に関する税務相談、賃貸計画の収支計算等

設例

Aさん（50歳）は、個人で10年前に開業した美容外科クリニックを経営している。経営は順調であるが、毎年の所得税の負担が大きいと感じており、また、将来の経営への漠然とした不安も感じている。2023年2月、Aさんの父親が急逝し、実家の近隣にある甲土地（地積800㎡）と甲土地上にある甲建物（S造平屋建て、築15年、延べ面積300㎡）を、外資系金融機関に勤める弟Bさん（46歳）とともに相続することになった。母親は10年前に他界している。甲建物は、父親が15年前、建設協力金方式により建築したもので、地元中堅スーパーマーケットのX社に賃貸している。

【X社との賃貸条件】
- 20年間の普通借家契約、建設協力金は20年間均等返済（無利息）
- 敷金960万円、月額賃料120万円（建設協力金の月額返済23万円を含む）

Aさんは、安定した収入が得られる資産を得たことを心強く思っていたが、先日、AさんのもとをX社の担当者が訪れ、スーパーの経営悪化を理由に甲建物の賃貸借契約を中途解約したいとの申出を受けた。甲土地は、最寄駅から徒歩15分の場所にあるが、数年前から駅前の再開発が進んで大型店舗が次々と進出し、地元の中小店舗は軒並み経営が厳しく、X社も当地から撤退を余儀なくされたとのことである。

Aさんは、弟Bさんに解約の申出を受けたことを伝え、後日、一緒に地元不動産会社のY社を訪問して今後のことを相談したところ、Y社から、「駅ビルが開業して駅近辺に商業機能が集中し、甲建物に入る新たなテナントを探すのが難しい状況です。もったいないですが建物は取り壊し、賃貸マンションを建築してはどうでしょうか」との提案を受けた。甲土地周辺は、駅前の再開発に伴い、マンション需要が高まっており、十分採算が取れるとのことである。Aさんは、先祖代々の土地である甲土地を手放したくはないと考えている。

Aさんと弟Bさんは、Y社から、「賃貸マンション経営は所得税や将来の相続税の軽減になる場合があります。また、区分所有建物にしてご兄弟で分け合えば、今後の資金需要に応じて個別に売却することも可能です」との話も聞き、前向きに検討したいと思っている。建築資金についても、父親から相続した資産に借入金を組み合わせて十分に捻出できそうである。そこで、Aさんは、X社に、すぐに代わりのテナントが見つからないときは、甲建物を取り壊し、甲土地を更地で返還してもらえないかと交渉したいと思っている。

FPへの質問事項

1. Aさんに対して、最適なアドバイスをするためには、示された情報のほかに、どのような情報が必要ですか。以下の①および②に整理して説明してください。
   ①Aさんから直接聞いて確認する情報
   ②FPであるあなた自身が調べて確認する情報
2. 建設協力金方式の概要について教えてください。また、甲建物の賃貸借契約の解約にあたって、X社に甲土地の更地返還を要求することは可能ですか。
3. 賃貸マンションを建築するメリット・デメリットを教えてください。また、賃貸マンション経営が所得税や相続税の軽減になる仕組みについて教えてください。
4. 本事案に関与する専門職業家にはどのような方々がいますか。

（注）設例に関し、詳細な計算を行う必要はない。

【甲土地の現況】

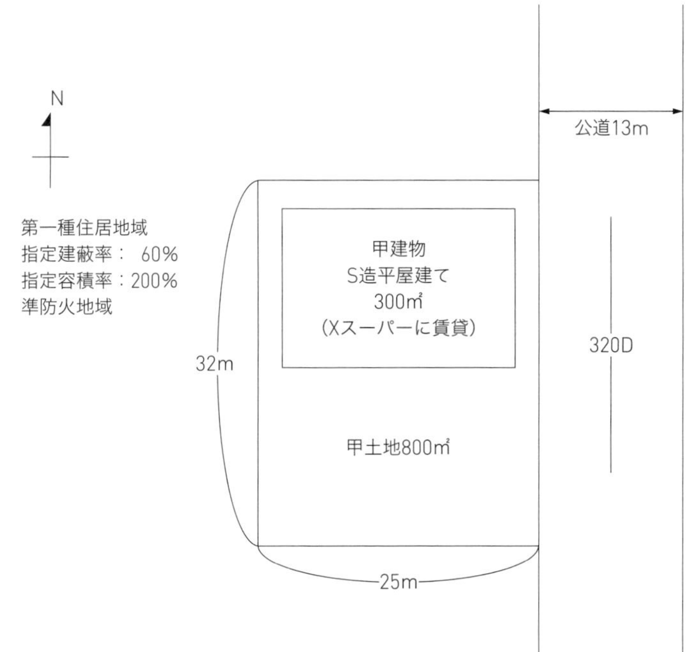
N
公道13m
第一種住居地域
指定建蔽率： 60%
指定容積率：200%
準防火地域
甲建物
S造平屋建て
300㎡
(Xスーパーに賃貸)
32m
320D
甲土地800㎡
25m

(メモ余白)

設例に対する検討と提案

Q1

Aさんに対して、最適なアドバイスをするためには、示された情報のほかに、どのような情報が必要ですか。以下の①および②に整理して説明してください。
①Aさんから直接聞いて確認する情報
②FPであるあなた自身が調べて確認する情報

A1

①Aさんから直接聞いて確認する情報
- 甲土地建物の取得費に関する証明資料や父親の相続に関する資料の有無
- AさんおよびBさんの家族構成や年収、保有している資産の状況
- X社との賃貸借契約書の内容
- Aさんの今後の甲土地の活用について希望する収益や利回り
- Aさんの現在の年収および所得税の納税額
- 弟Bさんの土地活用に対する意向

②FPであるあなた自身が調べて確認する情報
- 甲土地建物の登記記録などの公簿資料、現地の状況、甲土地にかかる法令制限の確認
- 甲土地建物が所在するエリアでの、店舗や住宅の平均利回りや家賃相場
- 甲土地建物の周辺地域における賃貸マンションの建築状況を、現地周辺や都市計画担当部署の開発登録簿、地元不動産会社などで確認
- Aさんの老後の生活、ライフプランの作成

Q2

建設協力金方式の概要について教えてください。また、甲建物の賃貸借契約の解約にあたって、X社に甲土地の更地返還を要求することは可能ですか。

A2

→提案例

建設協力金方式とは、予定建物の賃借人が土地所有者に対して建物の建設費（建設協力金）を貸与し、土地所有者はこの建設協力金をもとに建物を建設して、その賃借人に賃貸し、賃借人が毎月支払う賃料から相殺される形で

返済する方式をいいます。建築した建物は土地所有者が所有するため、特別な約定がない限り、X社に甲土地の更地返還を要求することはできません。

✔解説

1　建設協力金方式の概要

建設協力金方式とは、予定建物の賃借人が土地所有者に対して建物の建設費（建設協力金）を提供し、土地所有者はこの建設協力金をもとに建物を建設し、その賃借人に賃貸する方式をいう。一般的な建物賃貸借契約と比べ、建設費は賃借人が提供するが、土地所有者が建物を所有する点や、敷金等の一時金と異なり建設協力金が金銭消費貸借契約の性質を持つ点が特徴である。

このため、建設協力金方式は土地所有者にとって建物に対する初期投資の負担が軽減されることがメリットであるが、事業用定期借地と異なり土地の所有者が建物の所有者となることから、契約終了後も賃借人の事業にあわせた仕様の建物が残り、次に賃貸するテナントの業種が限定されるデメリットもある。

2　X社への更地返還を要求

X社からの中途解約の申し出にあたり、一般的な建設協力金方式であればAさんのX社への返済義務はなくなるが、1の通りAさんが建物を所有する以上、自己の所有する建物の取壊しをX社に要求することはできない。

【要点ポイントPartⅡ】建設協力金方式
【要点ポイントPartⅡ】借地権（借地借家法）

Q3

賃貸マンションを建築するメリット・デメリットを教えてください。また、賃貸マンション経営が所得税や相続税の軽減になる仕組みについて教えてください。

A3

➔提案例

賃貸マンションを建設するメリットとしては、資産圧縮効果により相続税の軽減が期待できること、住宅用地となることにより土地の固定資産税や都市計画税が大幅に安くなること、所有する土地を活用して安定した収入を得られることなどが挙げられます。逆にデメリットとしては、まだ使用可能な既存の賃貸建物を取り壊す必要があること、今後の賃貸需要の変化によって空室リスクを負う可能性があることなどが考えられます。

賃貸マンション経営が所得税の軽減になる仕組みとしては、不動産賃貸経営が赤字の場合、他の所得（給与所得など）と損益通算できるため、所得税の軽減が受けられる点が挙げられます。また、相続税の軽減になる仕組みとしては、前述の資産圧縮効果が挙げられます。これは、建築時に投下した資金（建築費）に対し、建築した建物の相続税評価額が大幅に低くなることで生じる逆ザヤを利用して、相続税の負担の軽減に繋げるという考え方です。

✔解 説

1．資産圧縮効果の考え方

資産圧縮効果は、建物が完成し賃貸事業を開始した直後が最も効果が高くなり、その効果は徐々に薄れていく。相続発生までの期間が長くなると、相続税の負担が高くなる結果になることもあるので注意が必要となる。

2．固定資産税と都市計画税の軽減

住宅の敷地となっている土地は住宅用地となり、その面積が200㎡以下の部分について、固定資産税の課税標準が６分の１に、都市計画税の課税標準が３分の１になります。住宅用地の面積は、住宅１戸当たりの住宅用地の面積（敷地全体の面積を住戸数で割った面積）が200㎡以下かどうかで判定するため、土地全体が200㎡以下の住宅用地となるケースが多く、既存の店舗建物を賃貸マンションに建て替えることで、固定資産税および都市計画税の負担を大幅に低減することができる。

3．所得税の軽減

所得税の軽減について、赤字の場合には他の所得と損益通算をし、所得税の軽減を受けられるが、黒字の場合には、黒字の部分について所得税がかかる。その際、他に総合課税の所得があると、所得の課税ベースが上がり、所得税の負担が重くなるケースもあるので注意が必要である。

4．区分所有建物にして兄弟で分け合う形にするという提案について

2024年１月以降、居住用の区分所有財産の評価方法が見直され、居住用の区分所有財産（いわゆる分譲マンション）については、従来の評価額に区分所有補正率を乗じて計算しなければならなくなった。今回の見直しで、土地および建物の評価額が1.5倍～２倍となるケースが多く、築浅の物件ほど、見直しの影響を大きく受ける可能性がある。賃貸マンション全体を一つの建物として登記すると、区分所有建物とならず、今回の見直しの影響を受けないので、賃貸マンションを建設する場合、建物の登記の方法についても検討が必要となる。

Q4

本事案に関与する専門職業家にはどのような方々がいますか。

A4

➜提案例

X社との契約解除にかかる専門家として、弁護士や土地家屋調査士などがあげられます。また、Y社が提案する賃貸マンションに関しては、建築士、土地家屋調査士、司法書士、税理士、不動産鑑定士などがあげられます。

✔解 説

- 建築士……甲建物の解体、賃貸マンションの建築計画の相談
- 土地家屋調査士……甲建物の滅失登記、賃貸マンションの表題登記
- 司法書士……賃貸マンションの所有権保存登記
- 弁護士……X社との契約解除に伴う諸条件の相談
- 税理士……賃貸マンションの建築にかかる相続税、所得税の相談、賃貸計画の収支計算等
- 不動産鑑定士……賃貸マンションの適正家賃の評価

設例

Ａさん（65歳）は、三大都市圏近郊のＭ市内において、ターミナル駅から徒歩圏内にある甲土地（地積500㎡）と乙土地（地積120㎡）を所有し、乙土地上にある自宅で妻Ｂさん（60歳）と２人で暮らしている。１人息子である長男Ｃさん（35歳）は、隣のＫ市内にある自宅で妻子と暮らし、２年前に起業したIT関連の事業を営んでいる。

甲土地は、５年前の父親の相続により取得したもので、父親の代からアスファルト敷きの月極駐車場として利用している。年間450万円程度の収入を得ているが、甲土地の固定資産税・都市計画税を毎年300万円程度支払っており、収益性は高くない。Ａさんは、甲土地の収益性を高めたいと考えているが、自身が借入れをして建物賃貸事業を始める気はなく、これまでどおり土地の賃貸によって安定的な収益が得られる方法を望んでいる。

なお、Ａさんは、不動産のほかに金融資産を3,000万円程度有しており、親しい税理士によれば、現状の資産で約1,800万円の相続税が見込まれている。

Ａさんが甲土地について友人である地元不動産会社の社長に相談したところ、「甲土地が所在するエリアは商業性が高く、良好な住宅地としても人気があることから、引合いは多いだろう」とのことであり、その言葉どおり、後日、社長を通じて、Ｘ社とＹ社の２社から定期借地契約による活用方法の提案を受けた。

【X社の提案内容】

- 事業用定期借地権方式
- X社（家電量販店）が甲土地上に店舗ビルを建築
  RC造4階建て、延べ面積1,500㎡、建設費4億5,000万円
- 借地期間40年、保証金4,000万円、年間地代800万円（X社は、甲土地に係る固定資産税・都市計画税を年間300万円程度と推定）
- Aさんの希望に応じて建物譲渡特約付借地権を併用する対応も可能

【Y社の提案内容】

- 一般定期借地権方式
- Y社（不動産会社）が甲土地上に分譲マンションを建築し、平均販売単価80万円／専有面積（㎡）で分譲する計画
  RC造7階建て、延べ面積1,500㎡、専有（販売）面積1,300㎡
- 借地期間70年、権利金2,000万円、年間地代600万円（Y社は、甲土地に係る固定資産税・都市計画税を年間100万円程度と推定）
- 年間地代の50％の70年分（総額2億1,000万円）を前払地代として支払可能

Aさんは、甲土地の収益性を高めるとともに、安定的な運用により長男Cさんに相続したいと思っており、X社とY社の提案が所得税や将来の相続税にどのような影響を及ぼすか、FPであるあなたに相談することとした。

FPへの質問事項

1．Ａさんに対して、最適なアドバイスをするためには、示された情報のほかに、どのような情報が必要ですか。以下の①および②に整理して説明してください。
　①Ａさんから直接聞いて確認する情報
　②FPであるあなた自身が調べて確認する情報
2．事業用定期借地権と一般定期借地権にはどのような違いがありますか。

（注）設例に関し、詳細な計算を行う必要はない。

3．保証金、権利金、前払地代として受け取った金銭は、所得税および相続税について、どのように扱われますか。
4．Ｘ社の提案とＹ社の提案について、それぞれのメリットや留意点を教えてください。
5．本事案に関与する専門職業家にはどのような方々がいますか。

【甲土地の概要】

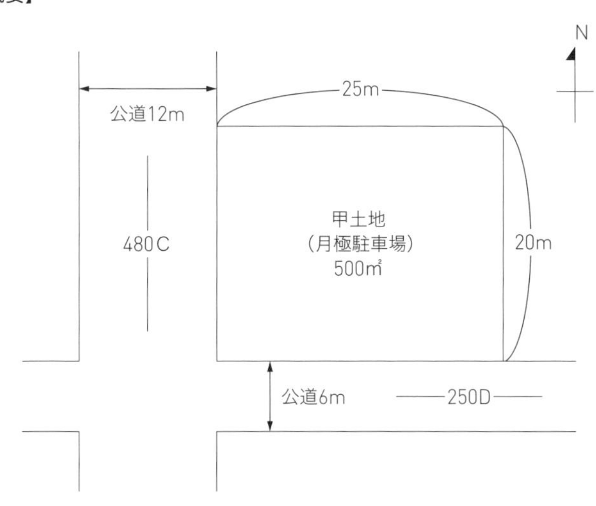

※近隣商業地域、指定建蔽率80%、指定容積率300%、第3種高度地区、準防火地域
※地元不動産会社によれば、甲土地の時価は約3億円と査定されている。

（メモ余白）

設例に対する検討と提案

Q1

Aさんに対して、最適なアドバイスをするためには、示された情報のほかに、どのような情報が必要ですか。以下の①および②に整理して説明してください。
①Aさんから直接聞いて確認する情報
②FPであるあなた自身が調べて確認する情報

A1

①Aさんから直接聞いて確認する情報
- Aさんが甲土地に期待する収益率
- 現在賃貸中の月極駐車場の賃貸契約書
- 借地期間として、どのくらいの期間を希望するか
- 当初まとまった資金を希望するか
- 借地期間終了時、甲土地をどうするか

②FPであるあなた自身が調べて確認する情報
- 一般定期借地権方式、事業用定期借地権方式の契約内容の確認
- M市内における一般および事業用定期借地権の地代相場
- X社、Y社から提案された内容の相違点の確認
- X社、Y社から提案された建物の建築計画の確認
- X社、Y社の財務状況の確認
- 一般定期借地権方式、事業用定期借地権方式に関連する税金の確認
- Aさんの老後の生活、ライフプランの作成

Q2

事業用定期借地権と一般定期借地権にはどのような違いがありますか。

A2

➔提案例

事業用定期借地権とは建物の用途を事業用に限定し、10年から50年までの契約期間で土地を賃貸するのに対し、一般定期借地権は用途を限定せず、50年以上の契約期間で土地を賃貸する違いがあります。どちらの契約も、口頭ではなく書面によって行うことが求められますが、事業用定期借地権は公正証書に限定されるのに対し、一般定期借地権は公正証書に限りません。な

お、存続期間30年以上で建物譲渡特約付借地権としておくと、期間満了時に土地と一緒に借地上の建物を買い取ることができます。

✔解 説

【要点ポイントPartⅡ】借地権（借地借家法）

Q3

保証金、権利金、前払地代として受け取った金銭は、所得税および相続税について、どのように扱われますか。

A3

➔提案例

⑴ 所得税

保証金は将来返還をしなければならないものであるため、預託期間中の経済的利益など一定の所得を除き、受け入れ時には課税関係は生じません。権利金は、将来返還する必要がないので、受取時に原則不動産所得の収入金額となります。前払地代として受け取った金額について、一定の要件を満たしている場合には、受け取った前払地代全額を前受収益に計上し、該当する期間の賃料相当額をそれぞれの課税期間の不動産所得の収入金額とします。

⑵ 相続税

保証金、権利金、前払地代として受け取った金額のうち、相続開始時に残った金額については財産に計上します。また、保証金について、将来返済しなければならない額として、残存期間の基準年利率による複利現価率を乗じて計算した額を債務額に計上します。逆に、受け取った前払地代については、相続開始時の未経過分に相当する金額を債務として計上する必要はありません。

✔解 説

定期借地権設定時に受け取った金銭の税務上の取扱い

① 権利金を受け取った場合

受け取った権利金が、その土地の価額（いわゆる時価）の10分の５に相当する金額を超える場合には、借地権の譲渡があったものとみなされ、その受け取った金額は譲渡所得として計算する。逆に、10分の５以下である場合には、不動産所得の収入金額に算入することになる。

② 保証金を受け取った場合

受け取った保証金（賃借人が返還請求権を有するもの）自体は、将来返還するため収入金額とはならない。また、保証金を預かっていることによる経済的利益についても、受け取った側で各種業務に係る資金として運用されている場合や預貯金等金融資産として運用されている場合には、所得税の課税は行われない。

③　前払地代を受け取った場合
　受け取った前払地代は、前受収益として計上し、各年分の賃料に相当する金額を取り崩して収入金額に算入する。

定期借地権が設定されている期間に借地権設定者側で相続があった場合

①　権利金を受け取っている場合
　相続開始時に残った金銭について相続税が課税される。

②　保証金を受け取っている場合
　相続開始時に残った金銭について相続税が課税される。また、保証金は将来返済しなければならない額として、残存期間の基準年利率による複利現価率を乗じて計算した額を債務額に計上する。

③　前払地代を受け取っている場合
　相続開始時に残った金銭について相続税が課税される。なお、前払賃料のうち、相続開始時に未経過分に相当する金額については、定期借地権の評価の中で減額されるため、別の債務として控除することはできない。

Q4

X社の提案とY社の提案について、それぞれのメリットや留意点を教えてください。

A4

→提案例

　X社およびY社のいずれも現状の駐車場収入より高い地代収入となる点がメリットです。留意点としては、両提案ともに中途解約条項などの契約内容や財務状況を確認するほか、Aさんの推定相続人の意向に応じた対応が求められます。X社の場合、推定相続人が将来賃貸事業を望めば建物譲渡特約付借地権を併用しますが、そうでなければ併用しない方が望ましいと考えます。
　一方、Y社の提案は借地期間がX社より長期間となり、将来もし推定相続人が他の土地活用をしたいと考えても困難であることに留意すべきで、賃貸事業を希望する場合はY社の提案する前払地代で分譲マンションを取得して第三者に賃貸することを提案します。

✔解 説

1　現状と比較した共通するメリット

Ｘ社もＹ社も単年度の収益性はほぼ同じと考えられ、現状の駐車場収入と比較して長期にわたり収益性が高くなる点がメリットとして共通している。

2　留意点

一方、留意点としては契約内容や各社の財務状況を慎重に確認するほか、いずれの提案を採用しても契約期間中にＡさんの相続発生が予想されることから、推定相続人である妻Ｂさんや長男Ｃさんの賃貸事業に関する意向まで確認しておくことが重要である。

(1) Ｘ社の提案における留意点

推定相続人が不動産賃貸事業を希望しているのであれば、建物譲渡特約付借地権を併用するが、賃貸事業を希望していないまたは不明な場合は、大規模店舗の賃貸事業は相続人にとって負担になると思われるので、建物譲渡特約付借地権は併用しない方が良いだろう。

(2) Ｙ社の提案における留意点

Ｙ社は契約期間が長期にわたるため、推定相続人が将来他の土地活用を希望しても難しい。不動産賃貸事業を希望していないのであれば、Ｙ社の提案をそのまま受け入れることになるが、不動産賃貸事業を希望している場合は、Ｙ社が付加提案する前払地代（年間地代の50％の70年分、総額２億1,000万円）を希望し、その資金で甲土地上の区分所有建物を取得して第三者に賃貸するのが良いだろう。

Q5

本事案に関与する専門職業家にはどのような方々がいますか。

A5

✔解 説

- 土地家屋調査士、測量士……甲土地の測量
- 弁護士、司法書士……事業用定期借地権や一般定期借地権の契約内容の検討
- 税理士……地代収入に対する所得税、貸宅地の相続税評価額等の検討
- 一級建築士……Ｘ社またはＹ社の建築計画に関する適法性等の確認
- 不動産鑑定士……Ｘ社またはＹ社の適正地代の確認
- 宅地建物取引業者……甲土地の賃貸借の媒介依頼

設例

Ａさん（60歳）は、首都圏近郊のＫ市の中心商業地であるＫ駅前通りに所在する甲土地（地積135㎡）の一部と甲土地上にある甲建物（RC造６階建て賃貸ビル、店舗・事務所）の一部を所有している。甲土地は、３筆に分筆され、現在、Ａさん、弟Ｂさん（57歳）と、他界した兄Ｃさんの妻であるＤさん（65歳）の３人がそれぞれ単独で所有している。甲建物は、Ａさん、弟Ｂさん、Ｄさんの共有で、それぞれの持分は３分の１である。甲建物は現在満室で、賃料はＡさんと弟Ｂさんが共同で経営する不動産管理会社が諸経費と管理費を控除し、残りを所有者３人に月額80万円ずつ均等に配分している。

もともと甲土地は、35年前にＡさんの父親が知人の紹介で購入したものであり、その２年後に甲建物を建築した。父親は生前、「自身の相続時、自宅は同居している長男Ｃに、甲土地と甲建物は二男Ａと三男Ｂに相続させる」と明言していた。「自宅のほうが価値は高いが、ＡとＢは納得してほしい」とまで言われていたが、遺言書を作っておらず、10年前に父親が亡くなったとき、兄Ｃさんは、甲土地と甲建物の３分の１の権利を当然のことのように主張してきた。兄Ｃさんは、小さい頃から年の離れたＡさんと弟Ｂさんを軽視する傾向が強く、理不尽な物言いが多いことから、Ａさんと弟Ｂさんは兄Ｃさんが大嫌いだった。このときも、Ａさんと弟Ｂさんは猛反発したが、当時存命していた母親の肩入れもあり、結果的に兄Ｃさんは、自身の主張を押し通し、都心部にある実家のほか、甲－３の土地と甲建物の持分３分の１を取得してしまった。

その兄Ｃさんが、2022年１月、突然事故で亡くなり、甲－３の土地と甲建物の持分３分の１は兄Ｃさんの妻であるＤさんが単独で相続した。

先月、Ａさんと弟Ｂさんのもとに、Ｄさんの代理人と名乗る弁護士のＥさんが現れ、Ｄさんからとする次のような申出が伝えられた。「相続で取得した甲－３の土地と甲建物について、今後、継続して所有する意思がないので、ぜひＡさんとＢさんで買い取ってほしい。金額については土地・建物合わせて総額１億円でお願いしたい」というものだった。これを聞いた弟Ｂさんは激昂し、「私たちから盗んだ不動産を返しに来たのかと思ったら、１億円を出せだなんて、とんでもない話だ。びた一文も払う気はない」と、けんもほろろに追い返した。Ａさんも同席していたが、弟Ｂさんの気持ちがわかるので、あえて止めなかった。

その後、Ｅさんから、「Ｄさんは、Ａさん、Ｂさんと争うことを望んでいない。どのような形ならよいか要望を聞かせてほしい。もし買い取ってもらえないのであれば第三者に譲渡する用意があるので、了承してほしい」という内容の書面が届いた。Ａさんはどのように対応したらよいかわからず、FPであるあなたにアドバイスを求めることにした。

FPへの質問事項

1．Ａさんに対して、最適なアドバイスをするためには、示された情報のほかに、どのような情報が必要ですか。以下の①および②に整理して説明してください。
　①Ａさんから直接聞いて確認する情報
　②FPであるあなた自身が調べて確認する情報
2．Ａさんは甲－３の土地と甲建物の持分を買い取ったほうがよいでしょうか。また、提示された総額１億円という価格の妥当性についてどのように思いますか。
3．Ａさんは、Ｄさんから届いた書面に対して、どのように返答したらよいでしょうか。

（注）設例に関し、詳細な計算を行う必要はない。

4．甲土地の前面道路の路線価（1,340千円）と側道の路線価（390千円）が大きく異なっていることについて、どのような理由が考えられますか。また、甲－３の土地の相続税評価額と固定資産税評価額の算出方法について教えてください。
5．本事案に関与する専門職業家にはどのような方々がいますか。

【甲土地の概要】

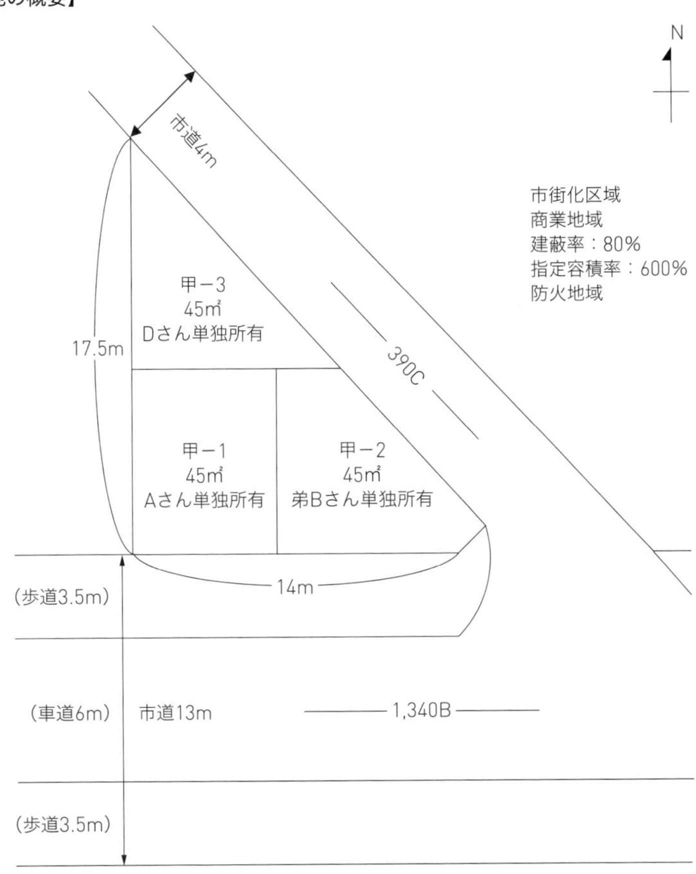

- 甲土地（甲－1、甲－2、甲－3）
  地目：宅地　　地積（合計）：135㎡　　価格水準（相場価格）：1,815,000円／㎡
  ※甲－1はAさん、甲－2は弟Bさん、甲－3はDさんがそれぞれ単独所有している。
- 甲建物
  1990年4月建築　　RC造6階建て　　店舗・事務所ビル延べ面積：690㎡
  固定資産税評価額（2022年度）：6,000万円
  ※甲－1、甲－2、甲－3にまたがって建築されている。※Aさん、弟Bさん、Dさんが各3分の1の持分で共有している。

設例に対する検討と提案

Q1

Aさんに対して、最適なアドバイスをするためには、示された情報のほかに、どのような情報が必要ですか。以下の①および②に整理して説明してください。
①Aさんから直接聞いて確認する情報
②FPであるあなた自身が調べて確認する情報

A1

①Aさんから直接聞いて確認する情報
- 甲－3の土地を買い取る希望があるか。また、その場合、AさんとBさん共同で買い取るか、単独で買い取るか。
- 甲－3の土地を買い取る場合の、借入希望の有無
- 甲－3の土地を買い取らない場合、所有する土地建物を今後どうするか。
- Aさんに相続対策を行うつもりはあるか。

②FPであるあなた自身が調べて確認する情報
- 甲土地全体および甲建物に関する登記記録、建物図面等の入手（法務局）
- 甲土地全体にかかる都市計画、建築基準法等の法令上の制限
- K市における地価相場や不動産市況
- Aさんの老後の生活、ライフプランの作成

Q2

Aさんは甲－3の土地と甲建物の持分を買い取ったほうがよいでしょうか。また、提示された総額1億円という価格の妥当性についてどのように思いますか。

A2

➜提案例

Dさんの提示額の1億円は、価格水準（1,815,000円/㎡）と家賃収入（月額80万円）の表面利回りからみて、Aさんや弟Bさんにとって妥当な金額であり、買い取ったほうがよいと考えます。ただし、仮にDさんが甲－3の土地を第三者に売却するにしても、側道に面した不整形地の売却になるため1億円で購入してくれる人はおらず、Dさんと価格交渉する余地は残されていると思います。

✔解 説

1　Aさん弟Bさんからみた甲－3の土地と甲建物の持分価格

①価格水準と②表面利回りからみて1億円は妥当であり、買い取ったほうがよいと考えられる。

①　価格水準

建物価格については固定資産税評価額（一般に時価より低い）しか情報がないため、これを使って計算すると、下記のとおりとなる。

土地価格（1,815,000円/㎡×45㎡）＋建物価格（6,000万円÷3）＝約1億円

②　表面利回り

Dさんの収入月額80万円×12月÷1億円＝9.6%

店舗・事務所ビルであることを考慮しても表面利回りは高く、AさんBさんは1億円で買い取れば約10年（＝1÷9.6%）で回収することができる。

もっとも、支出でどの程度費用負担が発生しているのか、管理会社に確認する必要がある。

2　Dさんからみた自己の持分価格

一方、Dさんは、Aさんまたは弟Bさんから買い取りを断られると第三者へ売却することになるが、側道の路線価を基準に算定しても土地価格は1億円には届かず、また、共有持分の売買は敬遠される傾向にあるため、第三者への売却は困難もしくは1億円よりかなり低く価格交渉されると考えられる。

このため、Dさんが提示した価格はAさん弟Bさんにとってみれば適正価格といえるが、Dさんの持分価格からすれば、Aさん弟BさんはDさんと価格交渉の余地が残されているといえる。

Q3

Aさんは、Dさんから届いた書面に対して、どのように返答したらよいでしょうか。

A3

➜提案例

本件のような市場が相対的に限定される場合は不動産鑑定士に依頼し、Aさん弟BさんおよびDさんの3者が納得したうえで、価格を決めるべきと思います。したがって、Dさんから届いた書面に対しては、「不動産鑑定士に適正な評価額を算定してもらったうえで買取りを検討したいので、Dさんも交えて適当な不動産鑑定士を選任したい」などと返答をすると良いと思います。

✔解 説

Ａ２の解説のとおり今回のＤさんからの申し出は、Ａさんおよび弟Ｂさんにとって甲－３の土地と甲建物の持分を買い取ることにメリットがある。

一方、Ｄさんが単独で売却した場合も、Ａ２の解説のとおり１億円を下回ることが予想されるため、Ａさんおよび弟Ｂさんに買い取ってもらいたいことは明白である。

このように、市場が相対的に限定される場合（限定価格）は、不動産鑑定士の評価額に従うべきであるが、Ａさんおよび弟Ｂさんが独自に選任した不動産鑑定士では、Ｄさんに疑念が生じる恐れもある。

そこで、Ｄさんから届いた書面に対しては、「不動産鑑定士に適正な評価額を算定してもらったうえで買取りを検討したいので、適当な不動産鑑定士を選任するためにＤさんも交えて相談させてほしい」と返答することを提案するのが良いだろう。

Q4

甲土地の前面道路の路線価（1,340千円）と側道の路線価（390千円）が大きく異なっていることについて、どのような理由が考えられますか。また、甲－３の土地の相続税評価額と固定資産税評価額の算出方法について教えてください。

A4

➔提案例

路線価は、宅地の価額がおおむね同一と認められる一連の宅地が面している路線ごとに、その路線のほぼ中央部にあること、その路線だけに接している等の前提で、決められています。前面道路の幅員（13m）に対し、側方道路は幅員が４ｍと狭く、それぞれの路線を単独で捉えた場合、建蔽率や容積率などの関係で市場価格がまったく異なることから、路線価も大きく異なっていると考えられます。さらに不動産の価格を形成する要因（地域要因）は行政的条件のほかに、街路条件や環境条件などが関係してくるため、歩道があり、駅前通りで収益性や商業繁華性に優れた前面道路のほうが高くなっている理由と考えられます。

甲－３の土地の相続税評価額は、利用を同じくする甲－１、甲－２、甲－３全体を１画地の宅地として評価したうえで、それぞれの土地の価額の比を乗じて計算した金額により評価します。したがって、甲－３の土地単価は甲－１や甲－２に比べ低くなります。また、固定資産税評価額は利用を同じくする甲－１、甲－２、甲－３全体を一画地の宅地として評価し、それぞれの筆の地積に応じて評価額を割り振るため、すべての筆の土地単価は原則同じとなります。

✔解 説

1．前面道路と側道の違いについて

不動産の価格を形成する要因は、一般的要因、地域要因および個別的要因に大別される。このうち路線価は一般的要因と地域要因を反映した価格であるが、前面道路も側道も一般的要因に違いはないことから、両者の違いは地域要因の違いとなる。

ここで不動産鑑定評価基準には、商業地域特有の地域要因の主なものが例示されているが（不動産鑑定評価基準総論第3章第2節　地域要因2参照）、本件ではこのうち土地利用に関する計画および規制の状態、なかでも容積率の違いが大きい。また他にも、街路の幅員、構造（歩道の有無）や、繁華性の程度などが路線価に反映され、大きく異なっていると考えられる。

2．甲－3の土地の相続税評価額と固定資産税評価額の算出方法について

〈財産評価基本通達14〉（路線価）

路線価は、宅地の価額がおおむね同一と認められる一連の宅地が面している路線（不特定多数の者の通行の用に供されている道路をいう。以下同じ）ごとに設定する。

路線価は、路線に接する宅地で次に掲げるすべての事項に該当するものについて、売買実例価額、公示価格、不動産鑑定士等による鑑定評価額、精通者意見価格等を基として国税局長がその路線ごとに評定した1平方メートル当たりの価額とする。

①その路線のほぼ中央部にあること
②その一連の宅地に共通している地勢にあること
③その路線だけに接していること
④その路線に面している宅地の標準的な間口距離および奥行距離を有する形または正方形のものであること

〈財産評価基本通達7－2〉（評価単位）

宅地は、1画地（利用の単位となっている1区画の宅地をいう）を評価単位とする。

（注）「1画地の宅地」は、必ずしも1筆の宅地からなるとは限らず、2筆以上の宅地からなる場合もあり、1筆の宅地が2画地以上の宅地として利用されている場合もあることに留意する。

〈固定資産評価基準　別表第３〉（画地計算法）

各筆の宅地の評点数は、一画地の宅地ごとに画地計算法を適用して求めるものとする。この場合において、一画地は、原則として、土地課税台帳または土地補充課税台帳に登録された一筆の宅地によるものとする。ただし、一筆の宅地または隣接する二筆以上の宅地について、その形状、利用状況等からみて、これについて一体をなしていると認められる部分に区分し、またはこれらを合わせる必要がある場合においては、その一体をなしている部分の宅地ごとに一画地とする。

Q5

本事案に関与する専門職業家にはどのような方々がいますか。

A5

✔解 説

- 宅地建物取引士……甲－３土地の売買にあたり媒介依頼
- 不動産鑑定士……甲－３土地のＡさんＢさんが取得する場合の適正価格の算定
- 司法書士……甲－３土地と甲建物の持分を取得した場合の所有権移転登記
- 弁護士……甲－３土地の売買における相手側弁護士との交渉
- 税理士……相続税評価額等の算出と、甲－３土地を取得した場合の不動産取得税などの相談

MEMO

設例

Ａさん（78歳）は、大都市圏近郊のＳ市内において、最寄駅から徒歩圏内にある甲土地と乙土地を所有している。Ａさんは、２年前に妻を病気で亡くして以来、乙土地上の自宅に１人で暮らしており、年金収入（月額20万円）と青空駐車場（甲土地）からの賃貸収入（月額20万円）で生活を送っている。甲土地、乙土地および自宅は、20年前、相続によりＡさんが取得したものである。

Ａさんには、長男Ｂさん（43歳）と二男Ｃさん（40歳）がいるが、いずれも隣県のＴ市内にある賃貸マンションにそれぞれの妻子と暮らしており、Ｓ市に戻る予定はない。２人の息子からＴ市内で近々分譲マンションを購入する予定との話を聞いたＡさんは、それぞれにマンション購入資金として1,000万円を支援してあげたいと思っている。

【Aさんの所有財産】
- 甲土地　：地積360㎡、月極駐車場（アスファルト舗装敷）として利用
- 乙土地　：地積135㎡、自宅の敷地として利用
- 自宅建物：木造2階建て、延べ面積130㎡、築45年
- 現預金　：4,000万円

Aさんは、最近、健康ではあるものの1人で暮らし続けることに不安を感じ始めていたところ、2人の息子からT市内にある有料老人ホームへの入居を勧められた。先日、実際に足を運んで見学してみると、雰囲気もよく、とても気に入り、年内に転居することを決めた。入居費用に関しては、2つのプラン（〈資料1〉参照）から選択できるとのことである。

また、転居後の乙土地について、地元の信頼できる不動産会社に相談したところ、6,000万円（現状有姿、仲介手数料200万円）で売却できるとのことであった。甲土地についても、収益性の向上と相続対策の観点から今後の活用方法を相談したところ、数週間後、大手コンビニチェーンのX社から建設協力金方式による2つの提案（〈資料2〉参照）を受けた。

Aさんは、甲土地の有効活用、乙土地の売却もしくは有効活用、有料老人ホームの入居費用、息子たちへの資金支援について、下記の2つの案を思い付いたが、どちらがより望ましいのか判断がつかないでいる。

Ⅰ案：乙土地の売却資金で入居費用①の入居一時金3,000万円と息子たちへの支援金2,000万円を工面し、X社からの提案①を選択する。 Ⅱ案：息子たちへの支援金2,000万円は手元の現預金から工面し、入居費用②とX社からの提案②を選択する。

FPへの質問事項

1. Ａさんに対して、最適なアドバイスをするためには、示された情報のほかに、どのような情報が必要ですか。以下の①および②に整理して説明してください。
   ①Ａさんから直接聞いて確認する情報
   ②FPであるあなた自身が調べて確認する情報
2. Ⅰ案の場合、乙土地の売却資金のみで入居一時金3,000万円と息子たちへの支援金2,000万円を捻出することはできますか。
3. Ａさんが２人の息子にそれぞれ住宅取得資金1,000万円を贈与した場合の課税関係を教えてください。

（注）設例に関し、詳細な計算を行う必要はない。

4．あなたはＡさんにⅠ案とⅡ案のどちらを勧めますか。その理由とともに教えてください。
5．本事案に関与する専門職業家にはどのような方々がいますか。

【甲土地・乙土地の概要】

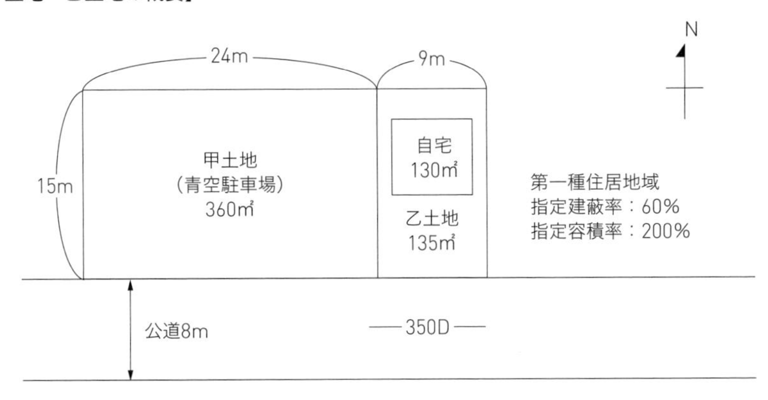

〈資料1〉Aさんが入居予定の有料老人ホームの費用
　下記のいずれかを選択することができる。

- 入居費用①
  入居一時金3,000万円（15年間の前払賃料、一定期間内の退去は未償却分を返還）、月額費用28万円（管理費、食費、日用品等）
- 入居費用②
  入居一時金なし、月額費用45万円（賃料、管理費、食費、日用品等）

〈資料2〉X社からの提案（建設協力金方式）
　いずれも25年間の普通借家契約、建設協力金は25年間均等返済（無利息）

- 提案①
  甲土地のみ、店舗は鉄骨造平屋建て、延べ面積180㎡、建設費3,600万円
  敷金400万円、月額賃料62万円（建設協力金の月額返済12万円を含む）
- 提案②
  甲土地と乙土地、店舗は鉄骨造平屋建て、延べ面積270㎡、建設費5,400万円
  敷金550万円、月額賃料93万円（建設協力金の月額返済18万円を含む）

（メモ余白）

設例に対する検討と提案

Q1

Aさんに対して、最適なアドバイスをするためには、示された情報のほかに、どのような情報が必要ですか。以下の①および②に整理して説明してください。
①Aさんから直接聞いて確認する情報
②FPであるあなた自身が調べて確認する情報

A1

①Ａさんから直接聞いて確認する情報
- 自宅土地建物の取得費などの資料の有無
- 長男Ｂさん、二男Ｃさんの購入予定のマンションの仕様
- Ａさんの今後の土地活用について希望する収益や利回り
- 長男Ｂさん、二男Ｃさんの現在の年収、土地活用に対する意向、甲乙土地および自宅に対する相続の意向

②FPであるあなた自身が調べて確認する情報
- 譲渡所得税や贈与税の特例の要件確認
- Ｘ社からの提案内容の確認（特に、建設協力金方式における普通借家契約の内容と、各建物の固定資産税・都市計画税の見込み額）
- 甲乙土地の周辺地域におけるコンビニの出店状況
- 甲土地、乙土地それぞれの測量の有無、隣地境界の確認
- Ｓ市における土地の平均利回りや地代相場
- Ａさんの老後の生活、ライフプランの作成

Q2

Ｉ案の場合、乙土地の売却資金のみで入居一時金3,000万円と息子たちへの支援金2,000万円を捻出することはできますか。

A2

➔提案例

乙土地の売却で得た6,000万円から、仲介手数料200万円と譲渡所得税が引かれ、残った資金で入居一時金と息子たちへの支援金の合計5,000万円を捻出します。自宅の売却については、譲渡所得税の計算上、3,000万円特別控除お

よび軽減税率の特例が適用でき、譲渡所得税は最大でも355.25万円ですので、捻出することはできると考えられます。

※ 6,000万円－(6,000万円×5％＋200万円)－3,000万円＝2,500万円
2,500万円×14.21％＝355.25万円

✔解説

不動産を譲渡した場合、譲渡時に支払う諸経費の他に、譲渡益が出ているときは、譲渡所得税および住民税がかかる。ただし、譲渡した不動産が自宅の場合、居住用の特例の適用が受けられるので、税金の負担が軽減される。

【要点ポイントPartⅡ】居住用財産を譲渡した場合の特例 1
居住用財産を譲渡した場合の3,000万円特別控除
【要点ポイントPartⅡ】居住用財産を譲渡した場合の特例 2
居住用財産を譲渡した場合の長期譲渡所得の課税の特例（軽減税率の特例）

Q3

Aさんが2人の息子にそれぞれ住宅取得資金1,000万円を贈与した場合の課税関係を教えてください。

A3

➔提案例

直系尊属から住宅取得等資金の贈与を受けた場合の贈与税の非課税の特例が受けられ、受贈者1人につき、最高1,000万円まで非課税となります。1,000万円の非課税を受けるには、省エネ等住宅である必要があり、省エネ等住宅でない場合には、非課税枠が500万円となります。また、購入する物件の登記簿面積の制限や受贈者である2人の息子の所得制限等もあるので注意が必要です。

✔解説

【要点ポイントPartⅠ】直系尊属から住宅取得等資金の贈与を受けた場合の贈与税の非課税制度

Q4

あなたはAさんにⅠ案とⅡ案のどちらを勧めますか。その理由とともに教えてください。

A4

→提案例

収益性はⅡ案のほうが高いといえるものの、Aさんの年齢とコンビニの中途解約のリスクから考えて、有料老人ホームの入居費用の支払資金をAさんの預金で確保できる安全性の高いⅠ案を勧めます。

✔解 説

1　本件の建設協力金方式の特徴について

建設協力金方式とは、予定建物の賃借人が土地所有者に対して建物の建設費（建設協力金）を提供し、土地所有者はこの建設協力金をもとに建物を建設し、その賃借人に賃貸する方式をいうが、Ⅰ案とⅡ案に共通する特徴として、以下の点をあげることができる。

① 建物がコンビニ仕様で、容積率の未消化が大きい（本来であればより大きな建物で収益をあげることができる）。

② 普通借家契約であり、将来コンビニから家賃減額を請求される可能性がある。

③ 本件に限らず建設協力金方式特有のデメリットとして中途解約の可能性があり、退去後の再利用が難しい（特に、許容容積率に対して建物面積が小さい本件は、次のテナントは店舗面積が小さいため賃料を下げる必要性が考えられる）。

【要点ポイントPartⅡ】建設協力金方式

2　Ⅰ案とⅡ案の違いについて

Ⅰ案とⅡ案の違いについて、収益性と安全性から比較検討する。

⑴ 収益性

① 各期の収入について

建物の固定資産税にもよるが、家賃収入と建設協力金の返済額からみて①より②のほうが手取り収入が多い。自宅売却代金（6,000万円）についても、契約期間25年分の差額と比較するとⅡ案の方が収入が多いといえる。

② 入居費用について

15年間でみた費用負担の総額はほぼ変わらない。入居一時金についても、Aさんの年齢からみて15年の間に相続が発生する可能性はあるが、一定期間内の退去は未償却分が返還されるので、いずれも違いはないといえる。

以上から、収益性に関してはⅡ案が高いと考えられる。

⑵ 安全性

息子たちへの支援金について、Ⅰ案は自宅の売却代金から、Ⅱ案は手元の現預金からそれぞれ工面するため、預金はⅠ案が4,000万円のままであるのに対し、Ⅱ案は2,000万円まで減ることになる。

もしコンビニが中途解約して次のテナントが見つからなかった場合は、Aさんは年金20万円と残りの現預金から入居費用を支払うことになるが、現預金がそっくり残るⅠ案の場合は40年以上支払うことが可能であるのに対して、半分を支援金に使ったⅡ案の場合は7年弱しか支払うことができない。

- Ⅰ案の場合＝4,000万円÷{(入居費用28万円－年金20万円)×12月}≒41年
- Ⅱ案の場合＝2,000万円÷{(入居費用45万円－年金20万円)×12月}≒7年

万が一コンビニが中途解約した場合に、次のテナントが見つかる可能性が保証されていない本件では、家賃収入を期待して入居費用を捻出するのは危険性が高いと言える。

X社からの提案がいずれも将来における保証家賃ではないことを考えると、万が一中途解約された後でも現預金から入居費用を捻出できるⅠ案のほうが好ましいといえる。

Q5

本事案に関与する専門職業家にはどのような方々がいますか。

A5

✔解説

- 宅地建物取引士……自宅土地建物の売却にあたり媒介依頼
- 建築士……Ⅰ案、Ⅱ案それぞれの店舗の設計案の妥当性の検討
- 土地家屋調査士、測量士……甲土地、乙土地の測量、境界確定等
- 弁護士……建設協力金方式の契約内容の検討
- 不動産鑑定士……自宅売却額とX社から提案された店舗賃料の妥当性
- 司法書士……自宅土地建物の売却の際の所有権移転登記
- 税理士……譲渡所得税の試算、賃貸計画の収支計算、贈与税の試算等

設例

会社員のAさん（46歳）は、勤務先の社宅（都心に所在、3LDK、70㎡）で妻Bさん（45歳、専業主婦）と長女Cさん（19歳、大学生）との3人で暮らしているが、社宅が来年2月に売却されることが決まり、転居先を検討している。以前から庭付きの戸建て住宅に憧れがあったAさんは、4,000万円程度で購入できる物件を探していたところ、不動産業者から、都心からやや離れた郊外にある中古の戸建て住宅（甲物件）を紹介された。Aさんは、甲物件の広さや周辺環境には満足しており、通勤時間は今より1時間ほど延びてしまうが、会社が働き方改革の一環としてリモートワークを推進していることもあり、それほど問題はないと思っている。一方、妻Bさんは、都心から離れることにはやや抵抗があるが、昨今の住宅価格の動向から甲物件でもやむを得ないと思っている。

不動産業者によると、甲物件について、「現在住んでいる売主は、今年度中に転居する予定で、売出価格は5,000万円です。いつでも内見してもらってかまいません」とのことである。Aさんは、来月にも内見するつもりでいるが、住宅を購入するのは初めての経験であり、後日後悔することがないように、どのような点に注目して確認すればよいのか知りたいと思っている。また、妻Bさんとも十分に相談したいと思っている。

【甲物件（土地・建物）の概要】

- 土地：第一種住居地域、地積300㎡、固定資産税評価額2,000万円
- 建物：木造2階建て、延べ面積120㎡、4LDK、築15年、固定資産税評価額800万円
- 売出価格：5,000万円
- これまで大きな補修・修繕は特段行っていない。

Aさんは、先日、父親Dさん（72歳）に、住宅の購入を検討しているが、昨今の住宅価格の上昇もあり都心部で探すのは難しいこと、郊外の物件でも少し予算を超えてしまうことを話したところ、1,000万円程度の資金を援助してもよいとの申出を受けた。さらに、「投資用として都内に所有している賃貸マンション（3LDK）が先々月から空室となっているので、住んでもらってもかまわない。その際、家賃にはこだわらないが、将来の相続のことを考えたら、形式上、固定資産税・都市計画税程度の家賃で賃貸借したほうが税金面で有利かもしれない」とのことであったが、その方法に問題はないのかどうかAさんにはわからない。

【父親Dさんが所有している投資用マンションの概要】

- RC造20階建て、総戸数270戸、築15年、最寄駅から徒歩7分
- 物件は5階に所在、専有面積75㎡、3LDK、時価8,000万円
- 固定資産税・都市計画税は年間30万円、管理費・修繕積立金は月額25,000円
- 月額賃料25万円で賃貸募集中であるが、周辺では賃貸マンションの供給が多く、成約するには募集賃料を引き下げる必要がありそうである。

FPへの質問事項

1. Aさんに対して、最適なアドバイスをするためには、示された情報のほかに、どのような情報が必要ですか。以下の①および②に整理して説明してください。
   ①Aさんから直接聞いて確認する情報
   ②FPであるあなた自身が調べて確認する情報
2. 中古の戸建て住宅を購入するにあたって特に気をつけなければならない点について、土地部分と建物部分に分けて教えてください。

（注）設例に関し、詳細な計算を行う必要はない。

3．Aさんが父親Dさんから住宅取得資金の贈与を受けた場合の課税関係を教えてください。
4．仮にAさんが父親Dさんが所有するマンションに固定資産税・都市計画税程度の家賃で居住し、父親Dさんの相続が開始した場合、当該マンションはどのように評価されるのか教えてください。
5．本事案に関与する専門職業家にはどのような方々がいますか。

（メモ余白）

設例に対する検討と提案

Q1

Aさんに対して、最適なアドバイスをするためには、示された情報のほかに、どのような情報が必要ですか。以下の①および②に整理して説明してください。
①Aさんから直接聞いて確認する情報
②FPであるあなた自身が調べて確認する情報

A1

①Aさんから直接聞いて確認する情報
- 新居に対して希望する間取りや設備の条件
- 新居購入にあたって借入希望の有無
- Aさんの年収や年間に納めている所得税等の額
- 妻Bさん、長女Cさんの意向

②FPであるあなた自身が調べて確認する情報
- 甲土地建物に関する登記記録、建物図面等の入手
- 甲土地建物の現地確認（境界標の有無や建物劣化の程度、周辺環境など）
- 役所での都市計画法、建築基準法上の法令上の制限の調査や、甲建物の建築計画概要書および建築台帳の閲覧
- 父親Dさんの所有する投資用マンションの賃料相場
- Aさんの老後の生活、ライフプランの作成

Q2

中古の戸建て住宅を購入するにあたって特に気をつけなければならない点について、土地部分と建物部分に分けて教えてください。

A2

➔提案例

中古の戸建住宅は新築時から一定の年数が経過しているため、これから生活するうえで支障がないかを気をつけます。具体的には、土地は売主等から騒音・異臭などの周囲環境、地歴などを聞き取り、さらにはハザードマップ等で災害発生の可能性まで確認します。将来的に建替えや売却することまで考えれば、接道状況や隣地との境界トラブルの有無など相隣関係まで気をつ

けるべきです。一方、建物については、躯体（くたい）や仕上げ、設備の劣化事象から追加費用が発生しないか気をつけるべきですが、Ａさん自身が的確に調査するのは難しいと思われるため、売主の承諾を取り付けたうえで建物状況調査を実施することを勧めます。

✔解 説

中古の戸建て住宅に限らず、購入にあたり気をつけるべき不動産の瑕疵（＝傷）は、以下の４種類に大別できる。

1　物理的瑕疵

土地については地中埋設物や越境、建物については雨漏りや床の傾きなど、その不動産を利用するうえで物理的な障害がある状態を指す。ただし、これらは買主が自ら調査することは困難であるため、専門家に依頼して調査することが一般的である。

2　法律的瑕疵

土地については接道義務（建築基準法43条１項）などの法令に抵触し、建築や建替えができない場合があげられ、建物については確認申請における完了検査の未取得や消防設備（火災報知器）の未設置などがあげられる。これらも不動産取引で明らかにするためには、専門家に依頼し調査することが一般的な対応である。

3　環境的瑕疵

購入する不動産に問題はなくても周辺環境が住み心地を悪くすることがある。たとえば、騒音や振動、異臭などがあげられ、災害発生の危険性についても気をつけなければならない。一般に、中古の戸建て住宅はこれまで人が生活してきた履歴があり、過去の出来事や周辺環境に関しては売主や近隣住民が知っていることが多いが、災害発生の危険性については、市区町村が公表する各種ハザードマップで確認しておくのが望ましい。

4　心理的瑕疵

不動産の利用自体に影響はなくても住み心地が悪くなることがある。たとえば、その物件で過去に自殺や殺人があったとか、付近に墓地などの嫌悪施設や暴力団事務所がある場合などである。これらに対する反応は個人の感覚によるところが大きいが、環境的瑕疵と同様に売主や近隣住民が知っていることが多い。

以上の４種類の瑕疵は不動産取引上、不動産会社からの重要事項説明（宅地建物取引業法35条）や、売主から交付される告知書等で開示されるものだが、法定説明事項以外のことや約定されていないことは必ずしも説明されるとは限らないので、買主自らが、または専門家に委託して調査して確認すべきである。

Q3

Aさんが父親Dさんから住宅取得資金の贈与を受けた場合の課税関係を教えてください。

A3

➔提案例

直系尊属から住宅取得等資金の贈与を受けた場合の贈与税の非課税の特例が受けられ、受贈者１人につき、最高1,000万円まで非課税となります。1,000万円の非課税を受けるには、省エネ等住宅である必要があり、省エネ等住宅でない場合には、非課税枠が500万円となります。また、購入する物件の登記簿面積や新耐震基準への適合、受贈者であるＡさんの所得制限等もあるので注意が必要です。

✔解説

【要点ポイントPartⅠ】直系尊属から住宅取得等資金の贈与を受けた場合の贈与税の非課税制度

Q4

仮にAさんが父親Dさんが所有するマンションに固定資産税・都市計画税程度の家賃で居住し、父親Dさんの相続が開始した場合、当該マンションはどのように評価されるのか教えてください。

A4

➔提案例

父親Ｄさんが所有するマンションに固定資産税・都市計画税程度の家賃で居住した場合、使用貸借となるため、相続時の評価は、土地は自用地、建物は自用家屋の評価となります。

✔解説

使用貸借とは、他者の所有する目的物（不動産等）を無償で使用および収益する権利をいう。無償の範囲のなかに、不動産の固定資産税などの公租公課の支払いなど、借用物の通常の必要費の負担が含まれるとされているので、固定資産税・

都市計画税程度の家賃を負担したとしても、使用貸借となり、通常の賃貸とは認められない。したがって、使用貸借の対象となった土地建物を相続等により取得した場合の評価額は、自用地および自用家屋として評価されることになる。

仮に、Ａさんが父親Ｄさんに適正な賃料を支払って居住した場合は、賃貸借となるので、相続時の評価は、土地は貸家建付地、建物は貸家評価となる。ただし、相続発生時まで、父親Ｄさんは受け取った賃料を不動産所得として所得税を負担しなければならないうえ、受け取った賃料も預貯金として相続財産となるため、税制面で必ずしも有利とはいえない。

Q5

本事案に関与する専門職業家にはどのような方々がいますか。

A5

✔解説

- 宅地建物取引業者……新居の購入にあたり媒介の依頼
- 司法書士……新居購入時の土地建物の不動産所有移転登記
- 税理士……新居購入、贈与税申告、投資用マンションの活用に関する税務相談
- 一級建築士（既存住宅状況調査技術者）……建物状況調査の依頼先
- 不動産鑑定士……購入不動産の適正価格の確認

設例

Ａさん（50歳）の父親Ｂさん（78歳）は、大都市圏郊外のＴ市内にある実家の戸建て住宅（甲土地・甲建物）に１人で暮らしているが、１年前から体調が思わしくない。母親は４年前に他界している。Ａさんの妹Ｃさん（48歳）はＴ市から離れた自宅で暮らし、Ａさんの自宅も実家まで車で片道２時間の距離にあり、いずれも父親Ｂさんの面倒を見ることが難しい状況である。

Ａさんは、父親Ｂさんの意向を確認し、妹Ｃさんとも相談した結果、Ｘ社が運営する介護付有料老人ホームへの父親Ｂさんの入居について検討し始めた。入居後の費用は最低でも月額20万円かかる。

父親Ｂさんの収入と所有財産は下記のとおりである。なお、甲建物は、築後32年が経過しているが、５年前に約1,000万円をかけて大規模な改修工事（耐震補強工事、屋根・外壁塗装、床の貼り替え、バス・キッチン・トイレの交換等）を行っている。

【父親Bさんの収入と所有財産】
- 年金収入：月額約15万円
- 金融資産（現預金、株式等）：約2,000万円
- 甲土地：地積150㎡、1990年に父親Bさんが売買で取得
- 甲建物：木造2階建て、延べ面積105㎡、1990年築、父親Bさんが甲土地とともに購入

Aさんは、老人ホームへの入居後の費用と年金収入、金融資産のバランスを考え、実家を売却して現金化したほうが安心ではないかと話したところ、父親Bさんの賛同を得られた。ただ、実家の売却にあたって、Aさんは下記の2点について気になっている。

①登記事項証明書によれば、Y銀行の抵当権3,000万円の設定登記が残っていること。父親Bさんに確認したところ、Y銀行から住宅購入資金として借入れをしたが、13年前に完済しているとのことであった。

②甲土地上には、父親Bさんが趣味のそば打ちのために10年前に建てた増築建物（木造平屋建て、延べ面積12㎡、未登記）があること。

なお、実家の売却にあたり、Aさんと父親Bさんは、5年前に高額な改修工事を行っていることから、建物の価値もしっかりと評価してほしいと考えている。Aさんは、実家の売却について、気がかりな2点を含め、FPであるあなたに相談することにした。

FPへの質問事項

1．Ａさんに対して、最適なアドバイスをするためには、示された情報のほかに、どのような情報が必要ですか。以下の①および②に整理して説明してください。
　①Ａさんから直接聞いて確認する情報
　②FPであるあなた自身が調べて確認する情報
2．Ｙ銀行の抵当権3,000万円の設定登記が残っていることで、実家の売却に何か支障はありますか。
3．甲土地上に増築建物があることで、実家の売却に何か支障はありますか。
4．実家の売却にあたって、あなたはＡさんにどのようなアドバイスをしますか。
5．本事案に関与する専門職業家にはどのような方々がいますか。

（注）設例に関し、詳細な計算を行う必要はない。

【Aさんの実家（甲不動産）の概要】

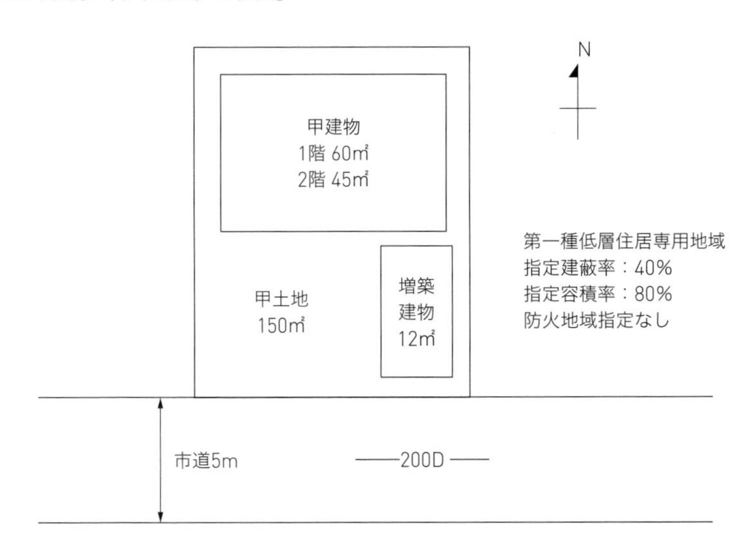

（メモ余白）

設例に対する検討と提案

Q1

Aさんに対して、最適なアドバイスをするためには、示された情報のほかに、どのような情報が必要ですか。以下の①および②に整理して説明してください。
①Aさんから直接聞いて確認する情報
②FPであるあなた自身が調べて確認する情報

A1

①Aさんから直接聞いて確認する情報
- 抵当権抹消に必要な書類の有無
- 未登記の増築建物について固定資産税等の課税関係や、建物図面の有無
- 5年前の改修工事の具体的な工事範囲や内容
- 甲土地建物を購入した際の契約書や重要事項説明書など関係資料の有無

②FPであるあなた自身が調べて確認する情報
- 甲土地建物の登記記録（特に抵当権者）の確認
- 現地の状況や甲土地にかかる法令制限の確認
- 甲建物の完了検査の有無、未登記の増築建物の確認申請手続きの有無
- T市内における住宅市場の状況（地価や既存住宅の相場）の確認

Q2

Y銀行の抵当権3,000万円の設定登記が残っていることで、実家の売却に何か支障はありますか。

A2

➔提案例

抵当権の設定登記が残っていると、たとえ実体のない登記であっても買主は購入を控えますし、借入をする際の金融機関も後順位の抵当権を設定することになるため融資を受けられません。その結果、購入者が見つからず実家の売却が困難になります。

✔解説

父親Bさんは13年前に完済しており登記上の抵当権に効力は発生しないが、以下の理由から、不動産の売買において売主は抵当権の抹消登記をして負担のない

不動産を引き渡すことが一般的である。

1　借入を完済しても自動的に抵当権は抹消されない

不動産売買において、不動産に抵当権などの担保権が設定登記されている場合や差押などが登記されている場合は、そのままでは買主へ所有権移転登記をすることができない。このため抵当権の抹消登記は父親Bさんと融資をした金融機関と共同で申請しなければならない。

2　購入者が購入を控える

借入れの返済が終わっていることが公的に証明されていないため、実体はなくとも抵当権に関するリスクを避ける購入者は、抵当権抹消登記をしていない不動産は購入しない。

3　融資が受けられない

抵当権の効力は登記した順番で決まるため、買主が住宅ローンを借り入れしようとしても、先順位の抵当権が抹消されていなければ金融機関から融資を受けられない。

以上の理由から、Y銀行の抵当権3,000万円の設定登記が残っている状態のままでは実家の売却が困難となる。

Q3

甲土地上に増築建物があることで、実家の売却に何か支障はありますか。

A3

→提案例

増築建物は未登記のままでは住宅ローンの融資を受けられず、また増築建物を含めると建蔽率に抵触する可能性があり、違反建築物の状態では融資を受けられませんし買い手も限られてきます。その結果、購入者が見つからず実家の売却が困難になります。

✔解説

甲土地上の増築建物は、実家の売却に下記の支障が生じることが予想される。

1　住宅ローンの融資を受けられない

増築建物は登記できる要件を備えているが未登記の状態である。未登記のままでは当該増築建物に抵当権を設定することができず、後に借地権などを主張されることを避けるために金融機関は住宅ローンの融資を断ることが一般的である。

2　違反建築物の可能性

甲土地にかかる指定建蔽率は40％で緩和要件もないことから、甲土地の建築面積の限度は60㎡（＝150㎡×40％）である。甲建物の１階床面積が60㎡であり確認申請上の床面積を確認する必要はあるが、増築建物を含めると法令違反の可能性が高い。

違反建築物は程度によって建築基準法９条の是正命令の対象となることから、購入者にとって避けられる傾向にある。

3　その他

もし増築建物に固定資産税等が課税されていなければ、購入後に買主が負担しなければならなくなる可能性がある。

以上の理由から、甲土地上に増築建物があると実家の売却が困難となることが予想される。

Q4

実家の売却にあたって、あなたはAさんにどのようなアドバイスをしますか。

A4

➔提案例

抵当権の抹消登記についてはＡさんや父親Ｂさんに抹消書類の有無を確認してもらい、手続きが困難な場合は司法書士への依頼をアドバイスをします。また、未登記の増築建物については甲建物も含め、確認申請手続きの有無を確認し、その結果違反建築物であれば未登記の増築建物について解体することをアドバイスします。

✔解 説

前述のとおり、実家の売却にあたって抵当権の抹消登記と未登記の増築建物が支障となる。

1　抵当権の抹消登記について

住宅ローンを完済すると一般に金融機関から抵当権を抹消するための必要書類が送られ、それら書類には金融機関の商号、本店、代表者が記載されている。もし父親Ｂさんが抹消書類を保存していたとしても、13年前の書類であれば金融機関の合併や移転、代表者の変更といった事情で使えない可能性がある。

そのような場合や抹消書類が保存されていない場合、抵当権抹消登記についてＡさんや父親Ｂさんが手続きすることは困難であるから、司法書士に依頼することがＡさんに対するアドバイスとなる。

2　未登記の増築建物について

Ａさんと父親Ｂさんは、実家の売却にあたり、５年前に高額な改修工事を行っていることから、建物の価値もしっかりと評価してほしいと考えている。しかし、10年前に建てた未登記の増築部分は価格の下落につながる恐れがあるため、特定行政庁で建築台帳等を確認して法令違反の可能性を確認することがアドバイスをする前提として必要になる。

そのうえで、もし法令違反であれば未登記の増築建物の解体をアドバイスすることになるが、Ａさんや父親Ｂさんが解体を承諾しない場合は解体業者に解体工事費の見積りを依頼し、その金額を売買価格から除いた金額で売出価格とするか、または土地家屋調査士や司法書士へ未登記の増築部分の登記をアドバイスすることになる。

Q5

本事案に関与する専門職業家にはどのような方々がいますか。

A5

✔解 説

本ケースでは、主に以下の専門職業家との連携が考えられる。

- 土地家屋調査士……甲土地の測量や、未登記建物の表題登記
- 司法書士……抵当権抹消登記や、未登記建物の保存登記、売却の際の所有権移転登記
- 税理士……譲渡所得等の具体的な税務相談
- 一級建築士（既存住宅状況調査技術者）……甲建物の劣化事象の確認依頼（建物状況調査）、劣化事象に対する修繕費用の見積り
- 不動産鑑定士……甲土地および建物状況調査の結果に基づく甲建物の適正価格
- 宅地建物取引業者（宅地建物取引士）……甲土地建物の売買に関する媒介依頼

[PartⅡ] | 第 9 問 | 2022年 6 月11日

設例

Aさん（68歳）は、三大都市圏近郊のＳ市内で代々農業を営み、自宅で妻と長男家族との６人で暮らしている。Ａさんは、自宅と農地のほかに、Ｓ市内に相続で引き継いだ甲土地（地積1,156㎡、地目：山林）を所有している。

【甲土地の現況】

甲土地は、S駅から徒歩圏内の住宅街にある平坦な林地（道路と等高）で、雑木がまばらに生えている未利用地である。甲土地の周辺は、敷地130～150㎡ほどの住宅が立ち並ぶ良好な住宅地であり、近年未利用地が開発され、建売住宅の供給が増えている。

甲土地の北側に位置する乙土地（地積1,343㎡、地目：山林）は、昨年同じ町内に住むBさんが相続で取得し、納税資金の調達のため売りに出していたが、最近売れたとの噂を聞いた。先日、Bさんから直接聞いた話では、買手が数社競合し、最も高い価格を提示した市内の建売業者X社に10万円／㎡で売却したとのことで、周辺の住宅地の相場20万円／㎡の半値だったとぼやいていた。乙土地はこれまでたびたび切り売りされてきており、土地が虫食い状態であったことが価格に影響したのではないかとのことだった。

【X社からの申出】

その数日後、Aさんのもとに X社の社員が来訪し、「弊社は乙土地を建売用の素地として購入しました。ここで建売事業を計画していますが、可能であれば甲土地も一緒に事業化したいと考えています。ぜひ甲土地を譲ってもらえないでしょうか。価格は路線価と同じ16万円／㎡（乙土地の価格の1.6倍）とさせていただきます」との申出があった。Aさんは、家族と相談し、現時点では売却の意思がない旨を伝え、丁重にお断りした。

しかし、その後、X社の社員が再び来訪し、「それでは甲土地の北側部分344㎡（5m×68m＋隅切り4㎡）だけでも譲ってもらえないでしょうか。価格は先日と同じく16万円／㎡とさせていただきます。購入した土地は幅員5mの開発道路として整備し、完了後S市に帰属し、市道になります。甲土地の残る部分は新設道路に全面的に接することになりますので、Aさんにとってもよい話だと思います。いかがでしょうか」との新たな申出があった。

Aさんは、譲った土地が整備された市道になるのであれば、残った甲土地の利用価値が上がり、将来、有効活用を図りやすくなるし、16万円／㎡という条件面も気に入っている。しかし、なぜX社が整備して結局はS市に帰属することになる道路用地をそのような条件でも購入したいのかがよくわからない。

そこで、Aさんは、今回のX社による開発計画や甲土地の売却について、FPであるあなたにアドバイスを求めることにした。

FPへの質問事項

1．Ａさんに対して、最適なアドバイスをするためには、示された情報のほかに、どのような情報が必要ですか。以下の①および②に整理して説明してください。
   ①Ａさんから直接聞いて確認する情報
   ②FPであるあなた自身が調べて確認する情報
2．Ｘ社が、乙土地の購入価格の1.6倍の価格（単価）を提示してまで道路予定地の甲土地の北側部分を購入したい理由として、どのようなことが考えられますか。
3．Ｘ社からの申出について、あなたはＡさんにどのようなアドバイスをしますか。Ｘ社の申出を受ける場合、Ａさんにどのようなデメリットがありますか。
4．甲土地の北側部分（道路予定地）を売却した場合の課税関係はどうなりますか。
5．本事案に関与する専門職業家にはどのような方々がいますか。

（注）設例に関し、詳細な計算を行う必要はない。

【X社による乙土地単独の開発計画】

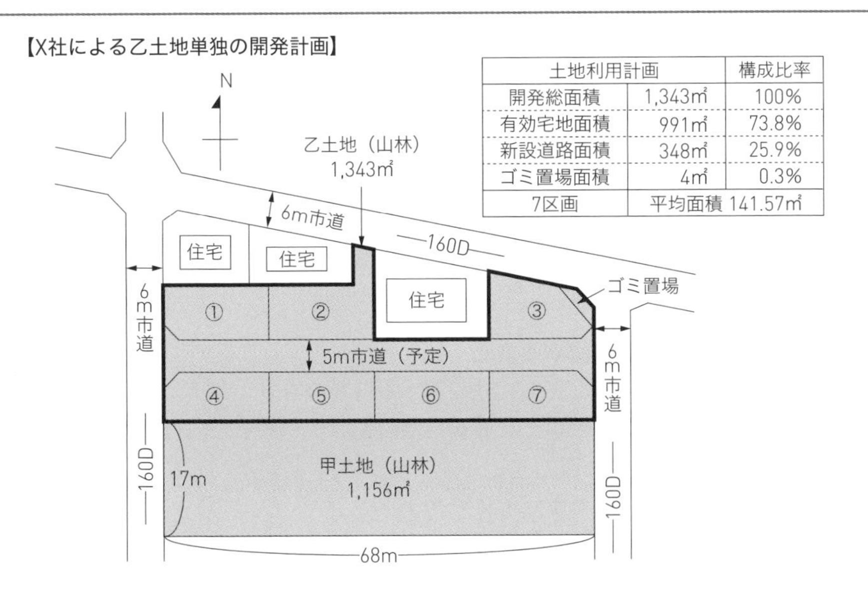

土地利用計画		構成比率
開発総面積	1,343㎡	100%
有効宅地面積	991㎡	73.8%
新設道路面積	348㎡	25.9%
ゴミ置場面積	4㎡	0.3%
7区画	平均面積 141.57㎡	

【X社によるAさんが道路用地を提供した場合の開発計画】

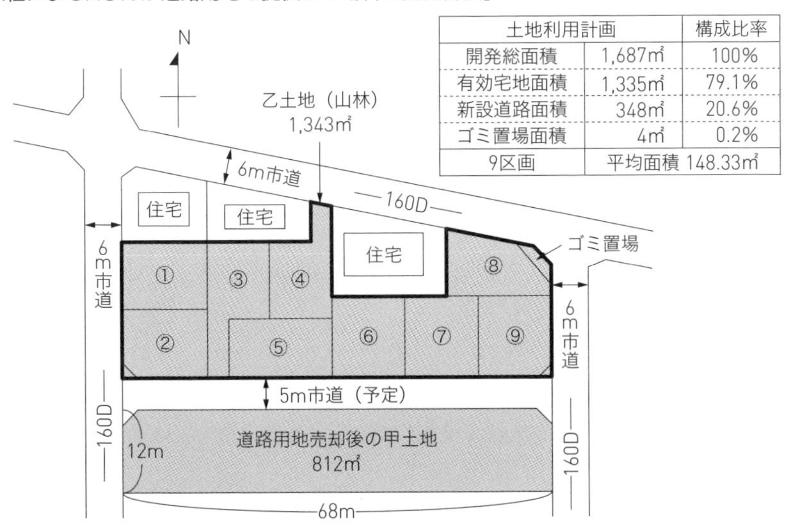

土地利用計画		構成比率
開発総面積	1,687㎡	100%
有効宅地面積	1,335㎡	79.1%
新設道路面積	348㎡	20.6%
ゴミ置場面積	4㎡	0.2%
9区画	平均面積 148.33㎡	

（注1）第一種低層住居専用地域、指定建蔽率50%、指定容積率100%、普通住宅地区
（注2）S市開発指導要綱により、区画街路幅員は5mで可。
（注3）消火栓設置により防火水槽の設置は不要。
（注4）電気、都市ガス、公営水道、公営下水あり。引き込み可。

設例に対する検討と提案

Q1

Aさんに対して、最適なアドバイスをするためには、示された情報のほかに、どのような情報が必要ですか。以下の①および②に整理して説明してください。
①Aさんから直接聞いて確認する情報
②FPであるあなた自身が調べて確認する情報

A1

①Aさんから直接聞いて確認する情報

- 甲土地の取得費や取得日などの相続に関する資料の有無
- AさんがX社からの最初の申出を断った際の家族と相談した内容と現時点で売却意思がない理由
- 甲土地全体を有効活用する予定はないか
- 将来、甲土地の全部または一部を売却する予定はないか
- Aさんの相続対策を考えた方が良いか

②FPであるあなた自身が調べて確認する情報

- 甲土地の登記記録、現地の状況、甲土地にかかる法令制限の確認
- S市内における開発用地の相場などの市況状況
- X社の条件等の確認
- X社の提案によった後の、残った土地の有効活用について具体案の策定
- 土地評価の検証、X社の提案によった際の税額の計算
- Aさんの老後の生活、ライフプランの作成

Q2

X社が、乙土地の購入価格の1.6倍の価格（単価）を提示してまで道路予定地の甲土地の北側部分を購入したい理由として、どのようなことが考えられますか。

A2

➔提案例

乙土地単独の開発計画と比べて乙土地内の開発道路が不要になるため、①有効宅地面積が増えること、また、南向きの販売区画が増えるため②販売単価の上昇が見込まれることが主な理由として考えられます。

✔解 説

Ａさんが道路用地を提供した場合の開発計画は、乙土地単独の開発計画と比べて以下のメリットが挙げられる。

1　有効宅地面積の増加

乙土地内に開発道路（市道５ｍ）が不要となり、有効宅地面積が991㎡から1,335㎡に増える。これより販売区画数も７区画から９区画に増え、販売区画の平均面積も141.57㎡から148.33㎡に増えることになる。

2　販売単価の上昇

住宅用地は日当たりに影響する道路方位が販売単価に影響する。乙土地単独の開発計画では南向きの区画が７区画のうち３区画しかないのに対し、Ａさんが道路用地を提供した場合の開発計画では９区画のうち６区画が南向きとなり、販売単価の上昇が見込まれる。

以上から、Ｘ社は乙土地の購入価格の1.6倍の価格（単価）を提示してまで甲土地の北側部分を購入したいと思われる。

Q3

X社からの申出について、あなたはAさんにどのようなアドバイスをしますか。X社の申出を受ける場合、Aさんにどのようなデメリットがありますか。

A3

➔提案例

Ｘ社からの申出を受けることで、残った敷地の道路付けが良くなるうえ、本来、道路として価格が付かない部分の土地を宅地並みの単価で買い取ってもらえるため、将来、宅地として売却する可能性があるのであれば、申出を受けても良いでしょう。

なお、Ｘ社からの申出を受けると、所有する土地の地積が1,156㎡から812㎡と1,000㎡を下回ることとなり、相続開始時の土地評価の際、「地積規模の大きな宅地の評価」の適用が受けられなくなるので注意が必要です。

✔解 説

Ｘ社の申し出を受けた場合、Ａさんにとって次のようなメリット、デメリットがそれぞれ考えられる。

1　メリット

道路付けが二方路から三方路になり甲土地の価値が上がるため、①売却価格が上昇する可能性があり、また、②土地の有効活用もしやすくなる。

2　デメリット

Ｘ社の申し出を受けた場合は、「地積規模の大きな宅地」の適用が受けられず、相続税負担が増加する可能性がある。

- 地積規模の大きな宅地の評価（財産評価基本通達20-２）

三大都市圏においては500㎡以上、三大都市圏以外の地域においては1,000㎡以上の地積の宅地で、指定容積率が400％（東京都の特別区においては300％）未満など、一定の要件を満たすものについては、評価額の計算に際し、土地の地積に応じて定められた規模格差補正率（0.64～0.80）を乗じることができる。適用を受けると、土地の評価額が20％以上減額できるので有利である。

甲土地が、三大都市圏近郊（三大都市圏以外）に所在し、当面、所有する土地を売却する予定がなく、相続で子に引き継がせたい場合には、Ｘ社からの申出を受けずに1,000㎡以上の状態で所有しておくという考え方もあるかもしれない。

Q4

甲土地の北側部分（道路予定地）を売却した場合の課税関係はどうなりますか。

A4

→提案例

Ａさんは所有する土地を譲渡するため、譲渡所得税および住民税が課税されます。

なお、土地を取得したＸ社は、土地の取得に要した金額および道路の整備費用が最終的に全額損金となります。

✔解 説

⑴ Ａさんの課税関係

譲渡により生じた譲渡所得に対し、譲渡所得税（15.315％）および住民税（５％）が課税される。なお、譲渡所得の計算上、過去の取得金額が不明な場合には、売却価格の５％相当額を概算取得費として控除することができる。

⑵ Ｘ社の課税関係

Ａさんから購入した土地や道路整備費用はすでに取得していた乙土地と共に販

売用不動産として棚卸資産に計上したうえで、販売が完了した時点で売上原価として損金算入される。購入したAさんの土地面積分だけ、すでに所有する乙土地の有効宅地面積が広がるため、実質的に、販売用宅地を16万円／㎡で取得するのと同じ効果が得られることになる。

Q5

本事案に関与する専門職業家にはどのような方々がいますか。

A5

✔解 説

- 土地家屋調査士、測量士……甲土地の測量、分割による境界画定等
- 弁護士……土地売買契約書の内容の検討
- 不動産鑑定士……S市内における開発用地の相場や、X社への適正売却価格の検討
- 税理士……土地について相続税評価額の算出、譲渡所得税の計算
- 司法書士……所有権の移転登記

設例

Aさん（70歳）は、東京都内の分譲マンションで妻（68歳）と2人で暮らしている。2021年8月にAさんの母親Bさんが死亡した。父親は7年前に死亡しており、相続人はAさんのみである。Aさんは、母親Bさんの自宅であるX建物および空き家であったY建物と、それぞれの敷地である甲土地を相続により取得し、相続税の申告・納税等の手続を完了した。

1人息子である長男Cさん（43歳）は、昨年、海外赴任から帰国し、甲土地のあるS市内の賃貸マンションで妻と子2人との4人で暮らしている。先日、Aさんは、長男Cさんから、S市内で住宅の取得を考えていると聞き、その援助をしてやりたいと思っている。

【Aさんが相続により取得した不動産の概況】

①甲土地：地積300㎡
：甲土地上にX建物とY建物があり、X建物の敷地部分は165㎡（55％）、Y建物の敷地部分は135㎡（45％）である。

②X建物：木造2階建ての戸建て住宅、延べ面積160㎡
：父親が1975年に新築した自宅で、7年前の父親の死亡後、母親Bさんが1人で暮らしていたが、母親Bさんは2018年1月から老人ホームに入居し、母親Bさんの相続開始直前において空き家となっていた。
：X建物内には両親の遺品が手付かずのまま残っている。

③Y建物：木造2階建ての戸建て住宅、延べ面積120㎡
：父親が1980年に新築し、当初はAさん家族が居住していたが、Aさんは、仕事の都合で、1998年に現在の分譲マンションを取得し、家族で転居した。
：Aさん家族の転居後、第三者に賃貸していたが、2020年3月に入居者が退去して以降、新たな募集はせず、空き家の状態のまま現在に至っている。

Aさんは、X建物・Y建物とも老朽化が進んでおり、近隣に迷惑をかけることを危惧している。地元の不動産業者に相談したところ、甲土地周辺は良好な住宅地として人気があり、現状有姿で、X建物の敷地部分は5,500万円、Y建物の敷地部分は4,500万円で売却できる見込みとのことである。

Aさんは、自身の年齢も考えて、甲土地に新たに賃貸物件を建築し、有効活用を図るつもりはない。また、長男Cさんが甲土地での新居を望むならば、X建物・Y建物のいずれかの敷地部分を売却し、その売却資金を元手として、もう一方の敷地に住宅を新築し、その敷地については相続で承継してもよいと思っている。なお、長男Cさんが希望する新築住宅の建築資金は3,500万円程度と見込まれる。

Aさんは、甲土地の一部の売却、長男Cさんへの住宅取得資金援助や資産承継の留意点について、FPであるあなたにアドバイスを求めている。

FPへの質問事項

1．Aさんに対して、最適なアドバイスをするためには、示された情報のほかに、どのような情報が必要ですか。以下の①および②に整理して説明してください。
　①Aさんから直接聞いて確認する情報
　②FPであるあなた自身が調べて確認する情報
2．X建物の敷地部分を売却した場合とY建物の敷地部分を売却した場合の課税関係をそれぞれ教えてください。
3．Aさんが長男Cさんに住宅取得資金を援助する場合、課税関係はどうなりますか。

（注）設例に関し、詳細な計算を行う必要はない。

4．Ａさんの相続が開始したとき、長男Ｃさんの住宅を新築したＸ建物またはＹ建物の敷地部分の相続税評価額はどのように評価されますか。
5．本事案に関与する専門職業家にはどのような方々がいますか。

【甲土地の概要】

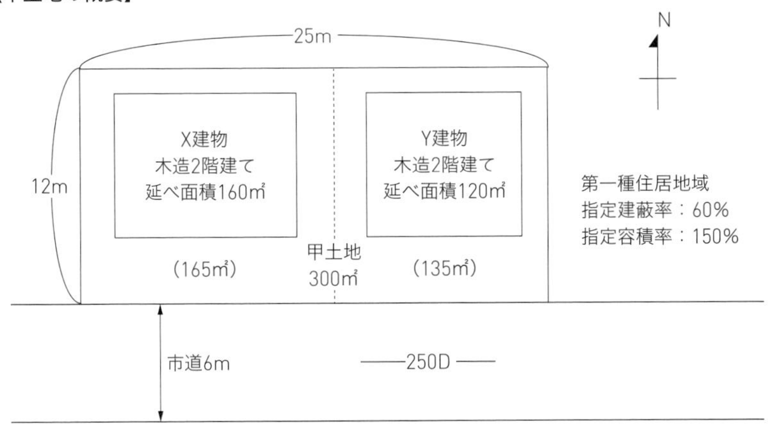

（注1）甲土地の外周は塀で囲われているが、X建物とY建物の間に塀やネットフェンスはなく、甲土地内の往来は自由である。
（注2）門扉は、X建物とY建物それぞれに設置されている。

（メモ余白）

設例に対する検討と提案

Q1

Aさんに対して、最適なアドバイスをするためには、示された情報のほかに、どのような情報が必要ですか。以下の①および②に整理して説明してください。
①Aさんから直接聞いて確認する情報
②FPであるあなた自身が調べて確認する情報

A1

①Aさんから直接聞いて確認する情報
- 母Bさんの相続で申告した土地評価額や納税額
- 長男Cさんの現在の所得や新居の建設希望地、間取り
- 売却を行う場合、どちらの建物の敷地が良いと考えているのか

②FPであるあなた自身が調べて確認する情報
- 甲土地と建物の登記記録、現地の状況、甲土地にかかる法令制限の確認
- 甲土地は実測されているか、隣地境界の確認
- 甲土地の売却価格の相場の妥当性についてS市内の市況の確認
- 「被相続人の居住用財産（空家）に係る譲渡所得の特別控除」「相続財産を譲渡した場合の取得費の特例」など、税金の特例の確認
- Aさんの老後の生活、ライフプランの作成

Q2

X建物の敷地部分を売却した場合とY建物の敷地部分を売却した場合の課税関係をそれぞれ教えてください。

A2

➜提案例

X建物の敷地を売却した場合、一定の要件を満たすと「被相続人の居住用財産（空家）に係る譲渡所得の特別控除」が適用され、譲渡所得の金額から3,000万円まで控除することができます。また、Y建物の敷地を売却した場合、一定の要件を満たすと「相続財産を譲渡した場合の取得費の特例（措置法39条）」が適用され、譲渡所得の金額を一定額引き下げることができます。

✔解 説

(1) X建物の敷地

X建物は母Bさんが一人で居住しており、老人ホーム入居後も空き家状態を維持していたことから、X建物の敷地について、一定の要件を満たす譲渡を行った場合、「被相続人の居住用財産（空き家）に係る譲渡所得の特別控除」が適用され譲渡所得の金額から3,000万円まで控除することができる可能性がある。

(2) Y建物の敷地

X建物およびY建物の敷地である甲土地はAさんが母Bさんから相続により取得し、相続税の申告および納税をしている。相続で取得した土地を相続開始から３年10か月以内に譲渡を行うと、「相続財産を譲渡した場合の取得費の特例（措置法39条）」が適用されるので、Y建物の敷地は、この特例の適用が受けられる。

なお、X建物の敷地についてもこの特例の適用を行うことができるが、より有利な取扱いとなる「被相続人の居住用財産（空き家）に係る譲渡所得の特別控除」との選択適用となるため、この特例の適用を行わないケースが多い。

(3) 譲渡所得税の税率について

相続（限定承認に係るものを除く）により取得した財産は、取得時期を引き継ぐため、相続取得後すぐに譲渡を行っても長期譲渡所得の税率が適用される。

【要点ポイントPartⅡ】居住用財産を譲渡した場合の特例 4
空き家に係る譲渡所得の特別控除の特例

Q3

Aさんが長男Cさんに住宅取得資金を援助する場合、課税関係はどうなりますか。

A3

➔提案例

直系尊属から住宅取得等資金の贈与を受けた場合の贈与税の非課税の特例が受けられ、受贈者一人につき、最高1,000万円まで非課税となります。1,000万円の非課税を受けるには、省エネ等住宅である必要があり、省エネ等住宅でない場合には、非課税枠が500万円となります。また、購入する物件の登記簿面積や築年数の制限、受贈者であるAさんの所得制限等もあるので注意が必要です。

✔解説

【要点ポイントPartⅠ】直系尊属から住宅取得等資金の贈与を受けた場合の贈与税の非課税制度

Q4

Aさんの相続が開始したとき、長男Cさんの住宅を新築したX建物またはY建物の敷地部分の相続税評価額はどのように評価されますか。

A4

➔提案例

親の土地に子が自宅を建てて使用する場合、地代の支払を行わない、いわゆる使用貸借による土地の借受けが一般的です。この場合の土地の評価は自用地評価となります。

なお、税制面で考えた場合、X建物の敷地を売却し、その資金を使用して、Y建物の敷地に長男Cさんの自宅を建てる形が良いと思います。

✔解説

⑴ 相続税評価について

使用貸借とは、他者の所有する目的物（不動産等）を無償で使用および収益する権利をいう。無償の範囲の中に、不動産の固定資産税などの公租公課の支払など、借用物の通常の必要費の負担が含まれるとされているので、固定資産税・都市計画税程度の負担をしたとしても、使用貸借となる。使用貸借の対象となった土地を相続等により取得した場合の評価額は、自用地として評価を行うことになる。親子間の場合、地代の授受を行わない形が一般的であり、土地の使用に関し、借地権が生じることはない。

⑵ 長男Cさんの住宅の名義について

Aさんが土地の一部を売却し、残った土地に長男Cさんの住宅を新築する場合、Aさんは売却代金を得ているため、そのお金を使うことができる。仮に、建築代金を3,500万円とし、その代金をすべてAさんが出してあげた場合、1,000万円を限度に「直系尊属から住宅取得等資金の贈与を受けた場合の贈与税の非課税」を適用し長男Cの名義としたうえで、残りはAさんの名義とし、相続のタイミングで長男Cさんに引き継がせると、相続税の節税にもなり有利である。

⑶ どちらの土地に長男Cさんの自宅を建てるべきか

X建物の敷地を売却すると「被相続人の居住用財産（空き家）の譲渡所得の特

別控除」の適用ができるため、Y建物の敷地を売却するよりも税制面で有利となる。税制面で判断した場合、X建物の敷地を売却し、Y建物の敷地に長男Cさんの自宅を建てた方が良いだろう。

Q5

本事案に関与する専門職業家にはどのような方々がいますか。

A5

✔解説

- 宅地建物取引業者……X建物の敷地およびY建物の敷地の売却予定価格の査定および媒介依頼
- 土地家屋調査士、測量士……隣地境界の確定、分筆、実測
- 不動産鑑定士……甲土地の売却予定部分の適正価格
- 税理士……譲渡所得税の試算、贈与の特例制度の提案
- 司法書士……所有権の移転登記

・装丁：黒瀬章夫

一般社団法人　金融財政事情研究会　ファイナンシャル・プランニング技能検定
１級学科試験・１級実技試験（資産相談業務）平成29年10月許諾番号1710K000002

よくわかるFPシリーズ

2024-2025年版(ねんばん)

合格テキスト　FP技能士(ぎのうし)１級実技対策厳選問題集(きゅうじつぎたいさくげんせんもんだいしゅう)

2024年９月12日　初　版　第１刷発行

編著者	ＴＡＣ出版編集部
発行者	多田敏男
発行所	ＴＡＣ株式会社　出版事業部（TAC出版）

〒101-8383
東京都千代田区神田三崎町3-2-18
電話　03（5276）9492（営業）
FAX　03（5276）9674
https://shuppan.tac-school.co.jp

組版	有限会社　マーリンクレイン
印刷	株式会社　ワコー
製本	株式会社　常川製本

ISBN 978-4-300-11432-2
N.D.C 338

企業経営アドバイザー対策講座

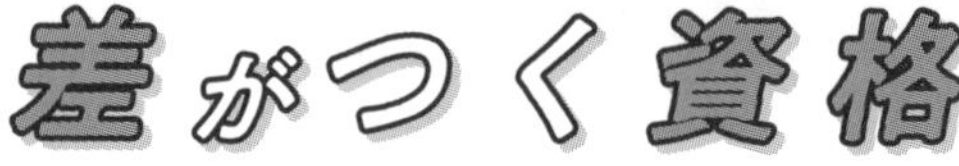

分析力と質問力に差がつく資格

企業の真の課題を発見・整理して解決策を提案できるスキル、企業経営アドバイザーとは?

こんなお悩み抱えていませんか?

身近に相談できる相手がいない　経営者の本音を聞き出せない

企業経営アドバイザーは
経営者の悩みに寄り添い伴走できるスキルが身につきます!

経営者の伴走者として地域企業の元気を支える「総合診療医」

「企業経営アドバイザー」は、企業の「総合診療医※」として、地域企業の元気(=稼ぐ力)を引き出すために経営・事業を総合的な観点から診断し、必要に応じて様々な専門家との連携を図りながら、持続的な成長のための適切な処方箋を出すことができる専門家です。経営者の頼れる相談者となり、中小企業の課題に真正面から向き合い経営支援に取り組むことで、地域の活性化や地方創生に貢献できる人材として期待されています。

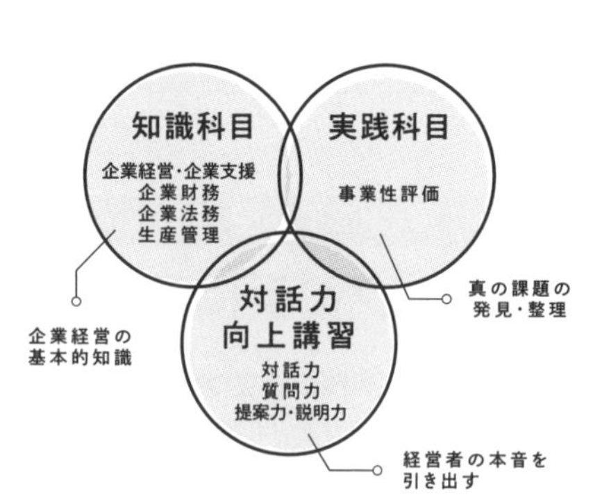

※「総合診療医」は、疾患の特定臓器に着目して診断するのではなく、その疾患の原因や影響を多角的な視点で診断し、必要に応じて他の診療科との連携を図りながら、患者が心身両面において健康な暮らしを送れるように対応する地域医療の専門家です。

書籍のご購入は

1 全国の書店、大学生協、ネット書店で

2 TAC各校の書籍コーナーで

資格の学校TACの校舎は全国に展開!
校舎のご確認はホームページにて

資格の学校TAC ホームページ
https://www.tac-school.co.jp

3 TAC出版書籍販売サイトで

CYBER BOOK STORE TAC出版書籍販売サイト

TAC 出版 で 検索

24時間ご注文受付中

https://bookstore.tac-school.co.jp/

新刊情報をいち早くチェック!

たっぷり読める立ち読み機能

学習お役立ちの特設ページも充実!

TAC出版書籍販売サイト「サイバーブックストア」では、TAC出版および早稲田経営出版から刊行されている、すべての最新書籍をお取り扱いしています。
また、会員登録(無料)をしていただくことで、会員様限定キャンペーンのほか、送料無料サービス、メールマガジン配信サービス、マイページのご利用など、うれしい特典がたくさん受けられます。

サイバーブックストア会員は、特典がいっぱい!(一部抜粋)

通常、1万円(税込)未満のご注文につきましては、送料・手数料として500円(全国一律・税込)頂戴しておりますが、1冊から無料となります。

専用の「マイページ」は、「購入履歴・配送状況の確認」のほか、「ほしいものリスト」や「マイフォルダ」など、便利な機能が満載です。

メールマガジンでは、キャンペーンやおすすめ書籍、新刊情報のほか、「電子ブック版TACNEWS(ダイジェスト版)」をお届けします。

書籍の発売を、販売開始当日にメールにてお知らせします。これなら買い忘れの心配もありません。

書籍の正誤に関するご確認とお問合せについて

書籍の記載内容に誤りではないかと思われる箇所がございましたら、以下の手順にてご確認とお問合せをしてくださいますよう、お願い申し上げます。
なお、正誤のお問合せ以外の**書籍内容に関する解説および受験指導などは、一切行っておりません。**
そのようなお問合せにつきましては、お答えいたしかねますので、あらかじめご了承ください。

1 「Cyber Book Store」にて正誤表を確認する

TAC出版書籍販売サイト「Cyber Book Store」の
トップページ内「正誤表」コーナーにて、正誤表をご確認ください。

CYBER BOOK STORE TAC出版書籍販売サイト

URL:https://bookstore.tac-school.co.jp/

2 1の正誤表がない、あるいは正誤表に該当箇所の記載がない ⇒ 下記①、②のどちらかの方法で文書にて問合せをする

★ご注意ください★

お電話でのお問合せは、お受けいたしません。
①、②のどちらの方法でも、お問合せの際には、「お名前」とともに、
「対象の書籍名(○級・第○回対策も含む)およびその版数(第○版・○○年度版など)」
「お問合せ該当箇所の頁数と行数」
「誤りと思われる記載」
「正しいとお考えになる記載とその根拠」
を明記してください。
なお、回答までに1週間前後を要する場合もございます。あらかじめご了承ください。

① ウェブページ「Cyber Book Store」内の「お問合せフォーム」より問合せをする

【お問合せフォームアドレス】

https://bookstore.tac-school.co.jp/inquiry/

② メールにより問合せをする

【メール宛先 TAC出版】

syuppan-h@tac-school.co.jp

※土日祝日はお問合せ対応をおこなっておりません。
※正誤のお問合せ対応は、該当書籍の改訂版刊行月末日までといたします。

乱丁・落丁による交換は、該当書籍の改訂版刊行月末日までといたします。なお、書籍の在庫状況等により、お受けできない場合もございます。
また、各種本試験の実施の延期、中止を理由とした本書の返品はお受けいたしません。返金もいたしかねますので、あらかじめご了承くださいますようお願い申し上げます。

TACにおける個人情報の取り扱いについて
■お預かりした個人情報は、TAC(株)で管理させていただき、お問合せへの対応、当社の記録保管にのみ利用いたします。お客様の同意なしに業務委託先以外の第三者に開示、提供することはございません(法令等により開示を求められた場合を除く)。その他、個人情報保護管理者、お預かりした個人情報の開示等及びTAC(株)への個人情報の提供の任意性については、当社ホームページ(https://www.tac-school.co.jp)をご覧いただくか、個人情報に関するお問い合わせ窓口(E-mail:privacy@tac-school.co.jp)までお問合せください。

(2022年7月現在)